RESTAURANT FRENCH

Restaurant French

FOR HOTELIERS, RESTAURATEURS AND CATERING STUDENTS

STEVE COMBES

B.A. (Hons.) Lond.

Lecturer
Highbury College of Technology, Portsmouth

With a Foreword by
MADAME PRUNIER

BARRIE & JENKINS
COMMUNICA-EUROPA

© Steve Combes 1961, 1974

First published in 1961 by
Barrie and Rockliff (Barrie Books Ltd)
Second impression 1965

Second Edition 1974
Barrie & Jenkins Ltd
24 Highbury Crescent London N5 1RX
Second impression 1977

ISBN 0 214 66861 4

Printed and bound in Great Britain by
REDWOOD BURN LIMITED
Trowbridge & Esher

FOREWORD

by MADAME PRUNIER

When Mr. Steve Combes talked to me about the book he was preparing on *Restaurant French*, I was most interested because, in spite of the controversy which has been raging these last few years about the writing of the menu in English instead of French, I am of the opinion that, for many years beyond my life and those of many others, the menu will still be printed in French. How could it be otherwise when fundamentally the art of cooking originated in France? It would seem to me just as absurd if the French in their turn were to try to translate Kipper, Haddock, Roast Beef and Yorkshire Pudding, Steak and Kidney Pie, Bread Sauce, Angels on Horseback, etc. If we agree to the principle of the menu in French, it is perfectly obvious that there is a need for a book with French-English and English-French vocabularies, and Mr. Combes has filled the gap.

His chapters on Salle de Restaurant, Personnel, Matériel de Restaurant, Mise en Scène, Mise en Place, Service, etc., are extremely educational, and I only hope that some of the staff we employ in our establishments today, who have had neither a pre-war nor a post-war training, will take the trouble to read through and benefit by the advice and recommendations this book contains!

I strongly recommend all students leaving technical institutions to start their careers to follow the good principles they have been taught, and to resist the temptation to lower their standards in other environments. For years we have been fighting prejudice against our profession and now is the time to redeem ourselves and prove to the public that, thanks to the numerous schools of catering which have spread all over the world, we are just as professional as any other industry.

In conclusion I congratulate Mr. Steve Combes on his command of French, and I hope that his work will be rewarded with great success.

CONTENTS

FOREWORD v

AUTHOR'S NOTE ix

1. LA SALLE DE RESTAURANT 1
   (*The Dining Room*)

2. LE PERSONNEL 7
   (*Staff*)

3. LE MATÉRIEL DU RESTAURANT 14
   (*Restaurant Equipment*)

4. LA MISE EN SCÈNE ET LA MISE EN PLACE 20
   (*Mise en scène and Mise en place*)

5. LE SERVICE 26
   (*Service*)

6. LE DÉJEUNER 33
   (*Luncheon*)

7. LE DÎNER 40
   (*Dinner*)

8. THE RESTAURANT MENU: GRAMMATICAL
   BASIS OF DESCRIPTION 46

9. MÉNUS SPÉCIAUX 53
   (*Special Menus*)

10. LES VINS 61
    (*Wines*)

11. LE BAR 67
    (*The Bar*)

12. LA CAVE 74
    (*The Cellar*)

13. LIST OF PLACE-NAMES, ETC., WHICH MAY BE
    ADJECTIVALIZED 80

14. FRENCH–ENGLISH VOCABULARY 84

15. ENGLISH–FRENCH VOCABULARY 110

AUTHOR'S NOTE

Except for a few isolated cases of unenlightened resistance, the British hotel and catering industry has come to realize that an understanding of the applications of the French language to catering activities is an integral part of the workings of the industry. Nowhere is this fact more important than in the high-class restaurant.

Frequently, and not surprisingly, English clients of restaurants where a French menu is used are unable to understand what they are being offered. Almost as frequently, however, and lamentably, the same menus are incomprehensible even to French visitors who are completely *au fait* of gastronomic terminology. One of the aims of this little book is to explain how items on a restaurant menu are described, and why; it may still be possible to correct and regularize the use of French in this context.

In the general field of restaurant operation, the need is felt for a standardization of all aspects of French nomenclature, and it is hoped that the present work will go some way toward solving this problem.

As *Restaurant French* is the first in a series of books which will be concerned with the use of language in the hotel and catering industry, the reader will find only marginal references to the terminology of, say, the kitchen, where these are essential to the understanding of the problems to be dealt with here.

The vocabularies do not, indeed could not, include all the words used in the text. In general, however, the book has been designed so that meanings of words will be apparent either from their context or from cross-reference between the main text and the two sets of exercises. The French-English vocabulary includes phonetic equivalents of the French words, but these should be used only by readers who understand the international phonetic alphabet as applied to the French language.

This book is addressed to catering students working in classes, and also to hoteliers, restaurateurs and workers in the industry who wish to study the subject on their own.

I wish to express my grateful thanks to all those who have helped me in this work: to A. E. Simms, Esq., F.H.C.I., for his unfailing assistance and encouragement; to W. Land, Esq., M.H.C.I., without whose help in the matter of technical information and advice this book could never have been written; to Mrs. Marie Murrow, A.M.H.C.I.; to M. Jean Bornet, A.M.H.C.I.; and, for their kind help in proof reading, to Mrs. P. R. Noble, M.A. and to MM. Alain Loize and Jacques Grave. My thanks are also due to my colleagues at Portsmouth College of Technology Hotel and Catering Department whom I consulted on many technical problems. Whatever merit this little book may contain is the work of my many helpers and especially of Mr. Land. Its shortcomings are the responsibility of the author.

Finally, I should like to express my gratitude to my publishers for their kindness, patience and helpfulness.

Portchester   STEVE COMBES

1. La Salle de restaurant

(THE DINING ROOM)

Le travail des restaurants et des cafés constitue un aspect très important de nos industries hôtelière et touristique, mais comme, dans ce petit livre, nous nous intéressons surtout aux établissements où l'on utilise la langue française, dans la cuisine ainsi que dans la salle, nous voulons considérer les restaurants proprement dits plutôt que les simples cafés.

C'est dans la salle de restaurant qu'on a l'occasion d'observer la plupart des activités du restaurateur, donc c'est par la salle que nous commencerons notre étude.

Comme il y a beaucoup de différence entre un restaurant de grand luxe à Londres et un petit établissement de campagne, il nous faut inventer un restaurant moyen, soit de métropole, soit de province, qui nous servira à représenter toutes les choses dont nous allons parler. Voici donc notre salle de restaurant.

Elle est de forme rectangulaire, ayant quatorze mètres de long et huit mètres de large, donnant une superficie de cent douze mètres carrés. Elle contient soixante places assises pour le service normal du déjeuner et du dîner, mais il est possible de recevoir soixante-quinze personnes pour les dîners de fête et jusqu'à cent pour les cocktails.

Les heures d'ouverture sont les suivantes: de 12 h. à 15 h. pour le déjeuner et de 18 h. à 24 h. pour le dîner. En Grande-Bretagne, les heures d'ouverture se trouvent considérablement, quoique indirectement, limitées par les lois qui régissent la consommation de l'alcool dans les lieux publics.

Le décor de notre salle est un bel exemple de style contemporain. Le carrelage bleu indigo et gris foncé établit un contraste frappant avec les rideaux jaune citron et les murs gris perle. Il y a quelques peintures à l'huile, ou plutôt des réproductions excellentes, qui nous intéressent sans détourner trop notre attention, car dans le restaurant le décor doit toujours rester en second plan; il ne doit jamais devenir, pour le client, plus important que le repas qu'il va prendre.

A part la porte d'entrée, il y a deux portes donnant sur la cuisine, une pour y entrer, une pour en sortir, et deux autres encore, dont une est marquée «Dames» et l'autre «Messieurs». Toutes les portes se trouvent bien placées pour aider la ventilation sans qu'il y ait trop de courants d'air. Un client qu'on aurait assis dans un courant d'air ne reviendrait plus jamais.

Les tables tiennent chacune de deux à six personnes, mais en ajoutant des rallonges à des tables carrées on peut asseoir ensemble huit, dix, douze, même seize ou vingt personnes. Il y a également des tables rondes tenant de quatre à huit personnes et donnant plus de variété à la forme générale du mobilier.

Le restaurant reçoit une clientèle assez variée, comprenant, au déjeuner, industriels, ingénieurs, avoués, pharmaciens, journalistes, tailleurs et employés de banque, pour n'en citer que quelques-uns.

A l'heure du dîner, la clientèle comprend surtout ceux qui vont assister au spectacle ou fêter la soirée. Il y a aussi d'autres gens qui viennent souper dans le restaurant après le théâtre ou à la sortie du cinéma.

Un établissement de ce genre doit présenter au futur client une apparence spéciale – une atmosphère accueillante mais non vulgaire, un sens de propreté et de bon ordre, du linge bien blanc, de l'argenterie et de la verrerie luisantes, et un éclairage assez subtil pour donner à la salle quelque chose de féerique aussi bien que de confortable.

Traduisez en français:

1. Restaurants are an important part of the British hotel and catering industry.

2. The dining-room should be well ventilated without there being too many draughts.

3. Most first-class restaurants have an extremely interesting clientele.

4. Many people form an opinion about a restaurant very soon after their arrival.

5. Every metropolis has a great variety of good restaurants.

6. The décor of a dining-room should never be too impressive.

7. One should always pass from the kitchen to the restaurant through the correct door; otherwise there may be accidents.

8. All restaurants should have a welcoming atmosphere.

9. The laws governing the sale and consumption of alcoholic liquor are much more strict in Great Britain than in most other countries.

10. The French language is used in the dining-rooms and kitchens of most first-class establishments.

11. Many dining-rooms are oblong in shape.

12. Restaurants are usually open from noon to 3 p.m. for luncheon-service.

13. The metre is a little longer than the English yard.

14. Curtains should always blend well with the rest of the décor.

15. Cocktail-parties cannot be given in the dining-room during normal meal-service.

Répondez en français aux questions suivantes:

1. Comment peut-on distinguer entre un restaurant et un café?

2. Pourquoi peut-on, dans un espace donné et sans remettre les couverts, recevoir plus de personnes pour les dîners de fête que pour le service ordinaire du dîner?

3. Quelles sont les heures d'ouverture de votre restaurant préféré?

4. Pourquoi y a-t-il deux portes donnant sur la cuisine de restaurant?

5. Que fait-on pour rallonger une table?

6. Pouvez-vous distinguer entre le dîner et le souper?

7. Qu'est-ce que c'est que la verrerie?

8. Combien y a-t-il de restaurants dans votre ville?

9. Quelle est la durée du service normal du dîner dans les restaurants de première classe?

10. Quels sont les aspects les plus importants du décor d'un restaurant?

11. Pourquoi la clientèle du restaurant est-elle quelquefois différente, le soir, de celle de l'heure du déjeuner?

12. Qu'est-ce que vous entendez par «de style contemporain»?

13. Quelle est la superficie d'une salle de restaurant rectangulaire ayant quinze mètres de long et neuf mètres de large?

14. Pouvez-vous définir la correspondance entre le mètre français et le yard anglais?

15. Quelles seraient les dimensions d'une salle carrée ayant une superficie de cent vingt et un mètres carrés?

JANVIER

Déjeuner
Table d'hôte

★

Hors d'œuvre variés
ou
Fruits de mer

★

Œuf mollet Victoria
ou
Risotto aux foies de volaille

★

Terrine de bœuf à la mode
ou
Perdreau périgourdine

Broccoli au beurre fondu
Pommes nature

★

Beignets de banane
ou
Petit pot à la crème

JANVIER

Dîner
Table d'hôte

★

Consommé Célestine
ou
Purée Lamballe

★

Mousse de homard Clarence
ou
Filets de sole Walewska

★

Suprême de volaille Jeannette
ou
Selle d'agneau de lait

Salade d'endives

Chou-fleur polonaise

Pommes à la crème

★

Bombe pralinée
ou
Soufflé au kirsch

2. Le Personnel

(STAFF)

Nul restaurant ne fonctionne bien sans un personnel bien organisé et bien intégré. Il faut que chaque membre de la brigade connaisse ses responsabilités et les limites de son pouvoir.

A la tête d'une équipe, qui, dans la plupart des établissements de première classe, exclut les femmes, on trouve un maître d'hôtel chargé de la direction générale du restaurant. C'est à lui de choisir les membres de son personnel et de diriger leur travail.

Dans le cas d'un assez grand établissement le maître d'hôtel (on l'appelle parfois 'le gérant') aura des assistants – combien dépend du nombre de places dans le restaurant – qui agiront en maîtres d'hôtel de rang (ou de carré) et seront chargés de surveiller deux ou trois rangs.

Chaque rang, de dix, douze ou seize couverts ou même plus, est à la charge d'un chef de rang qui est responsable du service de son rang.

Il y a également des commis de rang et des commis débarrasseurs. Ces derniers sont des débutants dans le service de restaurant, et font ce travail pour acquérir plus de confiance en eux-mêmes, pour s'accoûtumer à la tenue de restaurant et pour apprendre la disposition de la salle, de la cuisine et des sections auxiliaires de l'établissement. Ayant gagné un peu d'expérience dans le service, le commis débarrasseur deviendra peut-être ou commis de rang ou commis de vins.

En tant que commis de rang, l'ancien débarrasseur, dont l'avancement sera décidé par choix plutôt que par ancienneté, apprendra plusieurs aspects plus difficiles du service de restaurant. S'étant montré capable, comme débarrasseur, de comprendre des ordres et de porter les plateaux et les plats d'une façon habile – ce qui est indispensable – il pourra maintenant être plus utile à son supérieur le chef de rang.

Parmi les nombreux devoirs du chef de rang on peut
mentionner les suivants: il met les couverts, plie les
serviettes, s'assure que tout soit prêt du côté des sauces,
des condiments, etc., et reçoit et exécute les commandes,
pour les boissons ainsi que pour les mets s'il n'y a pas de
sommelier.

Le maître d'hôtel de carré (de rang) est la «vedette»
du service de restaurant, et on ne le trouve que dans les
établissements plutôt luxueux. Il note les commandes
des clients (remplaçant dans cette fonction son assistant
le chef de rang), et achève, à l'aide du réchaud, le
préparation des mets servis à la russe, comme, par
exemple, les omelettes, le gibier, les crêpes, etc.   En
même temps, il s'assure que tout marche bien dans la
partie de la salle dont il est responsable – il contrôle
l'efficacité du service, la courtoisie du personnel, et le
confort de sa clientèle.

Le maître d'hôtel exerce son autorité tout en étant
sous les ordres du propriétaire, du directeur ou du gérant
de l'établissement. Grâce à son savoir-faire, son savoir-
vivre, sa connaissance et son expérience techniques, le
maître d'hôtel exerce une influence incontestable non
seulement sur sa brigade mais aussi sur ses clients, qui se
montrent souvent disposés à lui confier la responsabilité
de choisir les mets et les vins qu'ils vont consommer. Il
contrôle la discipline de la brigade entière, s'assure de la
qualité du service partout dans la salle, et tient son
supérieur au courant de tout cas d'urgence qui pour-
rait se présenter et entraîner des inconvénients pour
l'établissement.

Dans les restaurants où les chefs de rang et les commis
ne font pas le service des boissons, il y a un chef de vins,
ou «sommelier», qui connaît bien les vins, les cocktails,
etc., et qui se trouve responsable ou d'un commis de vins
ou de plusieurs, selon l'importance de l'établissement.
Lorsqu'il s'agit des commandes et des additions, il est
tout à fait indépendant de ses collègues le maître d'hôtel
et les chefs de rang, à l'exception de l'esprit de coopéra-
tion qui doit unir les différentes sections du restaurant.

La réception des clients est d'habitude à la charge du
maître d'hôtel et des chefs de rang, mais dans un restaurant de grand luxe on trouve un maître d'hôtel de
réception, qui doit non seulement accueillir les clients

mais aussi, s'il est possible, les placer à la table de leur choix. Pour rendre cette tâche plus facile, le maître d'hôtel de réception doit maintenir un plan de la salle, montrant l'allocation des places. Il lui faut connaître la plupart de sa clientèle, et c'est à lui de réorganiser l'allocation des places, et même la disposition des rangs, si un client arrive accompagné de plusieurs invités.

La caisse, dirigée ou par un homme ou par une femme, se trouve indépendante des opérations de la brigade du restaurant, quoiqu'il soit indispensable, bien entendu, de maintenir des rapports proches entre le caissier et le gérant du restaurant. C'est ce dernier qui décide si, oui ou non, on va faire payer au client tel ou tel article de l'addition, et en son absence il faut présenter au client une addition qui montre tout article qui ait figuré sur les bons de commande. Le travail du caissier ne se limite pas à de simples calculs d'arithmétique – il doit aussi rédiger et présenter un sommaire détaillé des comptes, du jour en question, divisé en plusieurs parties, par exemple: couverts, vins, spiritueux, bières, eaux minérales, breuvages non-alcoolisés, repas, etc. Ces renseignements sont indispensables au contrôle du restaurant.

A part la salle même, il y a aussi l'office, qui fait partie du restaurant et dont le personnel appartient quelquefois à la même brigade.

On peut identifier les membres du personnel de restaurant d'après les uniformes qu'ils portent.

Le maître d'hôtel est en tenue de ville pour le déjeuner, et le soir il porte une tenue de soirée. Le chef de rang s'identifie par un pantalon noir, un habit à queue noir, un gilet noir, un nœud papillon blanc, un col cassé, une chemise amidonnée, des chaussures et des chaussettes noires. Dans quelques établissements de première classe les chefs de rang mettent un gilet blanc pour le service du dîner. La tenue des maîtres d'hôtel de rang diffère de celle des chefs de rang par le fait qu'ils portent un nœud papillon noir et, le soir, un gilet blanc. L'uniforme des commis de rang et de vins est à peu près le même que celui des débarrasseurs, qui est: pantalon et gilet noirs, veste blanche ou noire, et les autres vêtements comme pour les chefs de rang, avec, en supplément, un tablier blanc qui descend souvent jusqu'aux chevilles. L'uniforme

du sommelier (chef ou commis de vins) ressemble en
général à celui des chefs (commis) de rang, mais il porte
un tablier bleu plus court que celui du commis de rang.
Il porte aussi quelquefois le brevet du Syndicat des
Sommeliers au revers du veston, ou bien un autre insigne
quelconque qui aide à les indentifier.

Traduisez en français:

1. The wine-butler is a very important member of the
restaurant staff.

2. I want you to speak to the restaurant manager
about it.

3. Nobody can become an assistant waiter without
being a clearing-assistant first.

4. The station waiter is usually responsible for between ten and sixteen covers.

5. The station head waiter is the star of restaurant
service.

6. Certain dishes, such as omelettes and pancakes, are
often prepared in the restaurant in front of the customer.

7. The qualities of all good waiters include efficiency,
courtesy and diplomacy.

8. In restaurants where there are no wine-waiters, the
wine-service is carried out by station waiters and assistant
waiters.

9. One can usually distinguish between various members of the restaurant staff by their uniforms.

10. The clearing-assistant often wears a very long
white apron.

11. All members of the restaurant staff, unless they
are women, must wear well-laundered shirts.

12. Waiters are strictly forbidden to wear brown shoes.

13. In restaurant-work, promotion is based more on
selection than on seniority.

14. It must be very difficult to manage a restaurant.

15. People who hold positions of responsibility in
restaurants must be reliable and honest.

Répondez en français aux questions suivantes:

1. Quelles sont les responsabilités d'un maître d'hôtel?

2. Dans quelles circonstances une brigade comprendra-t-elle des maîtres d'hôtel de carré?

3. Pouvez-vous définir les devoirs d'un commis débarrasseur?

4. Ayant réussi, en débutant, à faire une bonne impression, qu'est-ce qu'un commis débarrasseur peut espérer devenir?

5. Comment peut-on distinguer entre un maître d'hôtel de carré et un chef de rang?

6. De combien de couverts un chef de rang se trouve-t-il responsable?

7. Pouvez-vous nommer trois façons différentes de plier une serviette?

8. Pouquoi est-il important que le personnel du restaurant soit courtois?

9. Connaissez-vous l'origine du mot «sommelier»?

10. Comment peut-on distinguer le sommelier parmi les autres membres de la brigade?

11. Pourquoi le commis débarrasseur porte-t-il un tablier si long?

12. Pourquoi le maître d'hôtel de carré est-il la «vedette» du service de restaurant?

13. Préférez-vous choisir les vins vous-même, ou laissez-vous le choix au sommelier ou à un chef de rang?

14. Quelles sont les qualités nécessaires à un maître d'hôtel de réception?

15. Pourquoi le caissier n'appartient-il pas à la brigade du restaurant?

FÉVRIER

Déjeuner
Table d'hôte

*

Huîtres natives
ou
Artichauts grecque

*

Gnocchi parisienne
ou
Rouget en papillote

*

Râble de lièvre Carême
ou
Poussin au beurre noisette

Salade de chicorée
ou
Petits pois au sucre

Pommes mignonnette
ou
Pommes mousseline

*

Omelette à la confiture
ou
Gâteau Jalousie

FÉVRIER

Dîner
Table d'hôte

*

Crème d'asperges
ou
Bisque d'écrevisses

*

Sole grillée Richelieu
ou
Tronçon de turbot poché, sauce noisette

*

Ris de veau financière
ou
Bécasse au chambertin

Salade Lorette

Artichauts parisienne

Pommes fondantes

*

Ananas glacé orientale
ou
Poires flambées

3. Le Matériel du restaurant

Ayant parlé du personnel de restaurant, passons au matériel qui se trouve dans la salle. Ce matériel comprend, entre autres, le mobilier, l'argenterie (y comprise la coutellerie), la verrerie, la vaisselle et le linge.

Bien que des règles, basées sur la tradition ou la logique, gouvernent le choix du matériel en général, ces règles n'existent guère lorsqu'il s'agit du mobilier. Pourvu que le propriétaire, ou celui qui est responsable de meubler la salle, choisisse avec soin les buffets qu'il va utiliser, il peut, en ce qui concerne les tables et les chaises, faire un choix qui correspond plus directement à ses propres idées artistiques et esthétiques. Il lui faut surtout établir un accord bien marqué entre les diverses parties du mobilier.

L'argenterie, qui souligne, dans un restaurant de première classe, son air de grand luxe, se fait en argent orfévré, ou, rarement et moins pratiquement, en argent massif. Elle comprend les plateaux, les plats et la coutellerie, et dans ce dernier cadre nous trouvons: les couteaux (dont les lames se font en acier inoxydable), les fourchettes et les cuillers. Dans les restaurants où on met des couverts traditionnels français, on verra que les cuillers à potage, différentes de celles anglaises à cuilleron rond, sont précisément comme les cuillers de table qu'on utilise en faisant le service.

L'argent orfévré figure non seulement dans la coutellerie mais aussi dans les pièces telles que le réchaud, la presse et la voiture à trancher – appareil splendide, utilisé par un trancheur en tenue de cuisine, et dont le couvercle est souvent en argent orfévré qui reflète comme un miroir.

A part les couverts qu'on met pour les hors d'œuvre, les potages, les poissons, les entrées, les entremets, etc., il y en a d'autres, plus spécialisés, dont on se sert pour le service et la consommation des huîtres, des escargots, etc. Le couvert qu'on met pour les escargots a un intérêt spécial, comprenant une pince, de forme plutôt extraordinaire, pour tenir la coquille, et une petite fourchette avec laquelle on sort l'escargot de la coquille.

Passant à la verrerie de restaurant, nous trouvons qu'il est assez difficile de la décrire en français, puisque nous avons des verres à vin dont il n'y a d'équivalent exact ni en France ni en français. A part les différents verres qu'on emploie pour le service de la bière et qui ne se voient évidemment pas souvent dans les établissements de luxe, les plus grands verres sont le verre gobelet à eau et le ballon à cognac. Le verre à bourgogne et le verre à bordeaux se distinguent en ce que la forme du premier est ronde, tandis que celle de l'autre, vue de côté, est plutôt ovale, et son pied est d'habitude moins long que celui du verre à bourgogne. La mesure des verres varie, mais on doit compter six verres par bouteille; en tout cas, on ne doit jamais remplir un verre au plus des deux tiers.

Les verres à grand pied, bruns pour le vin blanc du Rhin et verts pour celui de la Moselle, sont bien connus, ainsi que les coupes et les flûtes à champagne.

Du côté des plus petits verres, nous remarquons que les noms anglais «sherry-glass», «port-glass» et «madeira-glass» se traduisent tous par «verre à madère», car les Français traitent tous ces vins de la même façon, c'est-à-dire qu'ils ne font aucune différence entre eux.

L'expression «petit verre» en français veut dire une petite mesure d'eau-de-vie, de liqueur ou d'autre spiritueux, et s'explique bien simplement. Mais, pour une eau-de-vie de grande classe, comme le cognac V.S.O.P., on utilise non pas un petit verre mais un gros, en fait un ballon, qui permet au client de jouir du parfum, aussi bien que de la saveur, de l'alcool.

Un autre aspect de la verrerie du restaurant nous est rappelé par le problème des vins qui déposent. Il faut souvent les décanter pour enlever le dépôt, et cette opération s'accomplit à l'aide d'une carafe, différente des simples carafes à vin qu'on trouve dans les cafés en ce qu'elle est souvent plus ornée et d'un beau cristal.

La vaisselle du restaurant doit montrer une certaine

unité de forme et de dessin, pour établir de l'uniformite dans l'apparence des tables apprêtées, et pour faciliter le service, puisqu'un chef de rang ou un commis peut manier un tas d'assiettes identiques beaucoup mieux que des assiettes de formes diverses. La vaisselle, habituellement en porcelaine ou en faïence, comprend: les assiettes plates, creuses, à dessert et à salade, ainsi que les petites assiettes qu'on met à gauche du couvert pour le pain (et qu'on ne trouve presque pas en France où on garde son petit pain sur la table même).

Le linge, c'est-à-dire les nappes, les napperons et les serviettes, doit être d'une qualité supérieure et d'une blancheur frappante. Dans les restaurants de première classe on tient beaucoup à ce que les nappes et les serviettes (ces dernières pliées de diverses façons) donnent une bonne impression et fassent bon ménage avec le décor général.

Le bar est une partie du restaurant dont la diversité d'activités exige un matériel à soi, matériel comprenant de nombreux appareils et outils dont nous parlerons dans le chapitre consacré au bar même.

Traduisez en français:

1. There are many factors governing the choice of restaurant equipment.

2. Silver-plate is more practical than solid silver for restaurant use.

3. The principal items of restaurant furniture are sideboards, tables and chairs.

4. If the blades of meat-knives were made of plate instead of steel, they would not be sharp enough.

5. In France, soup-spoons are identically similar to tablespoons.

6. Cutlery consists, among other things, of knives, forks and spoons.

7. A bottle of Burgundy contains three quarters of a litre or six measures.

8. Usually only very old brandies are drunk from balloon glasses.

9. It is often necessary to serve claret from a decanter.

10 There are many interesting ways of folding table-napkins.

11. The design of a restaurant sideboard must take into account all the problems of restaurant service.

12. The carving-trolley is one of the most expensive items of restaurant equipment.

13. There should be uniformity of shape and design in the choice of crockery.

14. The whiteness of the table-linen is very striking in first-class restaurants, but it should be so in establishments of all classes.

15. Every item of equipment in the restaurant has a special use; otherwise it would not be there.

Répondez en français aux questions suivantes:

1. Quelle est la fonction du buffet dans le service de restaurant?

2. En combien de parties peut-on diviser le matériel de restaurant?

3. Qui est responsable de l'ameublement de la salle de restaurant?

4. Quels sont les désavantages de la coutellerie faite en argent massif?

5. Pourquoi faut-il mettre un couvert spécial pour le service des escargots?

6. Quelle est la différence entre les cuillers à soupe anglaises et celles françaises?

7. Combien de mesures peut-on tirer d'une bouteille de bourgogne, et quelle est la forme du verre à bourgogne?

8. Quel est votre verre à champagne préféré (la coupe ou la flûte)? – et pourquoi?

9. Pourquoi fait-on les lames des couteaux de table en acier inoxydable?

10. Que comprenez-vous par un «petit verre»?

11. Pourquoi faut-il quelquefois décanter les vins?

12. Quelle est la forme d'une assiette à salade?

13. Pouvez-vous distinguer entre une nappe et un napperon?

14. Quelles sont les dimensions d'une serviette?

15. Pourquoi le bar contient-il une si grande diversité d'appareils et d'outils?

MARS

Déjeuner
Table d'hôte

*

Mortadella
ou
Saumon d'Écosse fumé

*

Omelette paysanne
ou
Filet de sole dieppoise

*

Carré d'agneau bouquetière
ou
Vol-au-vent de volaille financière

Haricots blancs bretonne
ou
Chou de printemps

Pommes boulangère
ou
Pommes Parmentier

*

Crêpe Gil Blas
ou
Crême renversée

MARS

Dîner
Table d'hôte

*

Petite marmite Henri IV
ou
Crème Choisy

*

Timbale de homard Newburg
ou
Cabillaud hollandaise

*

Pâté chaud de pigeon ancienne
ou
Baron d'agneau à la broche

Salade française

Têtes d'asperges au beurre

Pommes Pont-Neuf

*

Biscuit glacé aux violettes
ou
Omelette au rhum

4. La Mise en scène
et la mise en place

(MISE EN SCÈNE AND MISE EN PLACE)

Imaginons notre salle de restaurant, le matin, avant le commencement de tous les préparatifs qui vont la transformer en un lieu de bon ordre et d'une apparence digne du regard public.

Les deux opérations qui vont effectuer cette transformation s'appellent: la mise en scène et la mise en place.

MISE EN SCÈNE

La mise en scène comporte deux éléments: le ménage et la mise en place.

LE MÉNAGE

Il est neuf heures, et la brigade vient dans la salle, en n'importe quelle tenue – pourvu qu'elle résiste bien à la saleté et à la poussière – nettoyer, balayer et cirer la salle en vue du service du déjeuner.

A ce moment-là chaque membre du personnel se trouve affecté à une certaine tâche – c'est-à-dire, il doit passer le plancher à l'aspirateur, remplir les ménagères, polir l'argenterie, s'occuper du linge de table, etc.

Lorsque l'on a fini de faire tous ces devoirs, la brigade commence à mettre en place les buffets, les tables – grandes et petites – et les chaises, selon la disposition qu'on a décidée pour le jour en question.

Il est maintenant onze heures environ, et le personnel se disperse pour un quart d'heure, afin de se laver, se rafraîchir, peut-être fumer une cigarette. A onze heures et quart on rentre faire la mise en place.

MISE EN PLACE

La mise en place, différente de la mise en scène, est un

travail d'équipe, impossible si la brigade ne fonctionne pas comme une unité.

Si un commis pose une nappe sur une table, elle sera dépliée et mise en place par un autre. Ensuite les autres commis, ayant choisi chacun tel ou tel article du couvert, mettront tous les couteaux de table, toutes les fourchettes à poisson, tous les cendriers, tous les condiments, toutes les serviettes (qu'on pliera plus tard), etc. – selon le genre de service qu'on va employer.

En même temps, on prépare les buffets, en y mettant les ménagères, les sauces (selon la saison), le matériel de service, des couverts et du linge supplémentaires, en cas d'accidents et de remises de couverts.

Ayant terminé la mise en place, les membres de la brigade vont s'apprêter pour le service, et, de retour, quand le maître d'hôtel ou le maître d'hôtel de réception aura effectué la disposition du personnel pour le service et aura inspecté sa brigade, seront affectés à tel ou tel rang, en qualité soit de chef, soit de commis, soit de débarrasseur.

Puis, lorsque tout semble prêt, les chefs de rang font une inspection générale, chacun de son rang, en retournant et en polissant les verres à eau. La salle est ainsi prête pour la réception des clients.

A la fin du service, une garde tirée du personnel entier fait tout ce qu'il reste à faire pour préparer la salle en vue du service du dîner.

PROPOS GÉNÉRAUX

Bien qu'il faille, du côté pratique, diviser la préparation de la salle en mise en scène et en mise en place, en vérité ces opérations forment une vraie unité d'activité non seulement indispensable à la direction générale du restaurant mais aussi caractéristique des règlements logiques qui gouvernent le bon fonctionnement du service de restaurant.

Traduisez en français:

1. The restaurant must always be in perfect order before service begins.

2. Restaurant staff do not wear waiting-uniform when they are cleaning the restaurant.

3. There are dozens of tasks to be done before the table-cloths can be laid.

4. The staff have a short break between the two halves of their morning work.

5. The job of preparing the dining-room for luncheon-service begins at about 9 a.m.

6. The vacuum cleaner is an essential item of equipment in the restaurant, although the members of the public never see it.

7. The station waiters must check everything before lunch, and rectify all mistakes and omissions.

8. The last part of the work of laying-up is a good example of team-work.

9. Sideboards must contain extra covers and linen, for re-lays and in case of accidents.

10. The head waiter or reception head waiter is responsible for assigning waiters to their stations.

11. It is very important for waiters to understand the significance of a smart appearance.

12. The choice of sauces on the sideboard depends on the time of year.

13. At noon the dining-room is ready for the receiving of customers and for the service of lunch.

14. When luncheon-service is over, a guard selected from the whole brigade re-lays the dining-room for dinner.

15. The type of cover that is laid on a table depends on the kind of service that is to be used – English, French or Russian.

Répondez en français aux questions suivantes:

1. Quelle est la différence entre la mise en scène et la mise en place?

2. Pourquoi faut-il absolument faire la mise en scène avant la mise en place?

3. A quelle heure la mise en scène commence-t-elle (pour le service du déjeuner)?

4. Pourquoi la mise en scène est-elle si indispensable au bon fonctionnement du restaurant?

5. Pouvez-vous nommer quelques tâches des gens affectés à la mise en scène?

6. En quoi la mise en place est-elle un travail d'équipe?

7. Quelles sont les considérations affectant le choix des couverts qu'on met pour le service du déjeuner?

8. Quelle est la fonction des ménagères?

9. Pourquoi est-il toujours nécessaire de mettre des couverts et du linge supplémentaires dans la salle?

10. Que font les membres de la brigade après avoir fini la mise en place?

11. Pourquoi est-il important de retourner et de polir les verres?

12. Comment peut-on savoir que la salle est prête pour le service?

13. A quelle heure commence-t-on la mise en place pour le déjeuner?

14. Que faut-il faire après le service du déjeuner?

15. Qui est responsable de l'inspection générale et finale de la salle avant le service?

AVRIL

Déjeuner
Table d'hôte

★

Hors d'œuvre printaniers
ou
Crevettes roses en cascade

★

Spaghetti milanaise
ou
Tronçon de turbot Bonne Femme

★

Cervelle de veau au beurre noir
ou
Jambon braisé florentine

Pointes d'asperges hollandaise
ou
Purée de navets

Pommes Duchesse

★

Charlotte arlequine
ou
Macédoine de fruits au kirsch

AVRIL

Dîner
Table d'hôte

★

Consommé royale brunoise
ou
Velouté Carmen

★

Filets de sole aux morilles
ou
Truite de rivière au bleu

★

Mousseline de canard au chambertin
ou
Carré d'agneau de lait persillé

Salade Jeannette

Haricots verts au beurre

Pommes nouvelles

★

Bavaroise Diplomate
ou
Pêches flambées

5. Le Service

(SERVICE)

Le genre de service le plus répandu de nos jours dans les restaurants de première classe s'est évolué peu à peu, au cours du dernier demi-siècle, en tirant des éléments des trois méthodes de service – à l'anglaise, à la française et à la russe. Le service moderne est ainsi un mélange de tous les trois, et s'appelle d'habitude ou «silver service» ou «Continental service».

La manière de recevoir des clients est décidée par les lois gouvernant la réception protocolaire des invités dans une maison privée. Le membre du personnel responsable de la réception des clients les fait asseoir, et note lequel d'entre eux est l'hôte.

Selon le genre de l'établissement, le maître d'hôtel de rang (de carré) ou le chef de rang présente la carte ou à l'hôte ou à chaque convive. En même temps, le commis de rang aura obtenu du beurre, du toast et d'autres articles qu'on met d'habitude sur la table à ce moment-là. Ayant accordé aux clients le temps qu'il faut pour contempler la carte et pour choisir les mets qu'ils vont prendre, le maître d'hôtel de rang (de carré) ou le chef de rang se tiendra à côté de l'hôte pour recevoir sa commande et pour lui donner tout conseil dont il aura besoin; il écrira la commande tout de suite sur le carnet de bons de commande qu'il tient à la main. Si l'on emploie le «continental system», le bon s'écrit en plusieurs exemplaires avec des copies au papier carbone – ce qui exige l'usage d'un crayon plutôt que d'un stylo, à moins que ce ne soit un stylo à bille.

Le commis de rang doit présenter tout bon à la partie de la cuisine susceptible d'en exécuter la commande – c'est-à-dire, à la cuisine même pour les potages, à l'office pour le café, etc. Une copie du bon va à la caisse, pour qu'on puisse vérifier l'addition. Puis le commis de rang, ayant apporté le premier plat qu'on va prendre, le pose sur le buffet, et sur un réchaud sans doute, d'où le chef de rang le présente aux clients et le sert.

Le service du plat s'accomplit à l'aide d'un couvert de service. Le chef de rang fait le service des mets en se tenant à gauche du client, pour ne pas se heurter contre le sommelier qui sert les vins, etc., à droite, et, même plus important, pour qu'il puisse approcher la main gauche (tenant le plat) le plus près possible de l'assiette qu'il va garnir.

La même opération se fait pour le service des mets suivants, jusqu'à ce que nous arrivions au café, qui, étant un breuvage, se sert du côté droit du client. Comme, à ce point, il n'est pas exclu que les clients veuillent fumer (Curnonsky disait: «Défense de fumer avant le café»), il faut que le chef de rang soit à même de leur fournir du feu.

A la fin du repas, ce sera la responsabilité ou du maître d'hôtel de rang (de carré) ou du chef de rang de présenter l'addition à l'hôte, en vérifiant au préalable si le contenu de l'addition correspond exactement aux détails des mets et des boissons pris par les clients, et de lui demander s'il est entièrement satisfait du service qu'il a reçu.

Puis, une fois l'addition réglée, le maître d'hôtel de rang (de carré) ou le chef de rang s'occupera du départ des clients, de façon à leur laisser une bonne impression finale de l'établissement.

MÉTHODES DE SERVICE

I. à l'anglaise L'ancien service anglais, dans les familles bourgeoises et dans les meilleures auberges d'il y a un siècle au moins, se caractérisait par ce que le repas consistait en deux parties seulement, l'entrée et le relevé. Pour l'entrée, les serviteurs apportaient plusieurs plats à la fois, parfois même trente, qu'ils plaçaient sur la table, pour que les invités fissent leur choix. A la fin de l'entrée on enlevait tous ces plats pour les remplacer par le relevé, qui comprenait, encore une fois, plusieurs plats, différents en type de ceux de l'entrée.

Quand les invités avaient assez pris du relevé, on débarrassait tout à l'exception des entremets et des fruits.

II. à la française Autrefois, le service français s'accomplissait à l'aide d'un réchaud, posé sur la table même, qui permettait au maître de la maison de servir ses convives lui-même, mais qui occupait bien de la place et réduisait le nombre de places assises à la table. Un autre inconvénient de ce service traditionnel français consistait en ce que le maître de la maison, étant non seulement incapable de servir les quantités délicates de mets qui caractérisent le service de restaurant élégant mais aussi peut-être trop généreux à l'égard de ses convives, offrait des portions non seulement trop considérables mais aussi, du côté financier, absolument ruineuses. Bien qu'un tel train de vie fût raisonnable là où il s'agissait d'un établissement particulier à qui il ne manquait pas de fonds, un commerce, tel un restaurant, voulant faire un bénéfice sans que ses tarifs fussent trop élevés, n'aurait pu maintenir ce niveau de service.

III. à la russe A son début, il y a près d'un siècle, le service russe était le plus élégant de tous, et l'est toujours.

Le service russe que nous connaissons aujourd'hui tient beaucoup de cet ancien service, avec des raffinements supplémentaires. Voici les détails du service russe moderne:

Avant le commencement du service même, il faut que le chef de rang prenne la commande pour le mets principal, puisqu'il sera préparé sur commande et selon le goût des clients. Un bon exemple de ce procédé concerne le canard à la presse, qu'on ne saurait en tout cas préparer au préalable. Une fois la commande reçue et exécutée, le commis apporte le mets choisi et le pose sur une petite table carrée approchée le plus près possible de la table des clients. Cette petite table a été déjà pourvue, par un chef de rang, d'un réchaud et de tous les autres articles indispensables au service du mets en question.

Le maître d'hôtel de rang (de carré) ou le chef de rang présente à l'hôte le plat sous la forme ou il est sorti de la cuisine, pour le faire approuver. L'ayant fait, il découpe, ou prépare, d'une façon ou d'une autre, le mets, et, à l'aide du réchaud, met fin, s'il y en a besoin, à la cuisson. Ensuite, il garnit les assiettes une à une et les pose devant les convives.

On fait de même pour chaque étape du repas, y

compris les légumes, qui, cependant, se servent à la table et sur les assiettes déjà chargées de viande, de poisson, etc. Le repas se termine selon les indications que nous avons données ci-dessus.

Le service russe exige beaucoup de matériel et de temps.

Traduisez en français:

1. The receiving of customers in the restaurant is governed by the rules which apply to the formal reception of guests in a private house.

2. Modern restaurant service in England is based on elements of English, French and Russian service.

3. Good restaurant service is characterized by courtesy, efficiency and tact.

4. A meal served in the English style consisted of only two main sections.

5. English service was based on the style of service practised in the houses of middle-class English families.

6. Both the "entrée" and the "relevé" might consist of up to thirty dishes served simultaneously.

7. The hot-plate used in French service was placed on the table and took up a lot of room.

8. A feature of Russian service is that the waiter must take the order for the main course well in advance.

9. Russian service is carried out with a small table on which are placed a chafing-lamp and all the other items of equipment required for the dish in question.

10. The waiter must show the dish to the host to have it approved before finishing the preparation of it.

11. The waiter writes down the order in an order-check book.

12. The station assistant waiter must take each order-check to the section of the kitchen responsible for handling the order.

13. Food is served from the customer's left, drink from his right.

14. As coffee is a beverage, it must be served from the right.

15. The waiter must check that the bill is correct in every detail.

Répondez en français aux questions suivantes:

1. Quelle est la règle gouvernant la réception des clients dans le restaurant?

2. Pourquoi vaut-il mieux utiliser un crayon qu'un stylo pour écrire les bons de commande?

3. Quelles sont les caractéristiques du bon service de restaurant?

4. Pourquoi sert-on les breuvages à droite du client?

5. Combien de plats constituait une entrée ou un relevé dans l'ancien service à l'anglaise?

6. Quelle est la fonction de la petite table dont on se sert en faisant le service russe?

7. Pourquoi le chef de rang doit-il montrer le plat à l'hôte avant d'y mettre les dernières touches?

8. Quelle est la fonction du réchaud qu'on trouve sur la petite table de service?

9. Sur quoi le chef de rang écrit-il les commandes?

10. Quelle est la section de la cuisine responsable de préparer le café?

11. Pourquoi le chef de rang doit-il noter lequel des clients est l'hôte?

12. Que comprenez-vous par l'expression «couvert de service»?

13. Pourquoi Curnonsky disait-il «Défense de fumer avant le café»?

14. Qui est responsable de présenter l'addition à l'hôte?

15. Quelles sont les principales différences entre les méthodes de service?

MAI

Déjeuner
Table d'hôte

★

Melon au gingembre
ou
Truite fumée au raifort

★

Œuf en cocotte bergère
ou
Merlan Colbert

★

Entrecôte bordelaise
ou
Poulet de grain à la crapaudine

Courgette provençale
ou
Haricots verts au beurre

Pommes pailles
ou
Pommes Berny

★

Quiche lorraine
ou
Ananas créole

MAI

Dîner
Table d'hôte

★

Cantaloup à la fine champagne
ou
Bortsch polonaise

★

Suprême de barbue florentine
ou
Petite sole Mornay

★

Escalope de ris de veau aux concombres
ou
Côte de bœuf nivernaise

Salade de laitue aux œufs

Chou de printemps

Pommes nouvelles rissolées

★

Mousse aux fraises
ou
Gâteau St. Honoré

6. Le Déjeuner

(LUNCHEON)

Menu
Déjeuner
Table d'hôte

*

Cocktail de fruits
ou
Hors d'œuvre variés

*

Omelette aux champignons
ou
Escargots bourguignonne

*

Escalope de veau Holstein
ou
Steak grillé béarnaise

Haricots verts sautés au beurre
ou
Endive braisée

Pommes allumettes
ou
Pommes Lorette

*

Bavarois praliné
ou
Fromages variés

Imaginons un beau jour de juin. Nous avons décidé de prendre le déjeuner en ville, et nous voici arrivés à notre restaurant préféré.

Après nous être fait désigner nos places, nous nous sommes assis, et voici la carte qu'on vient de nous présenter. Nous choisissons la table d'hôte, parce que nous sommes plutôt pressés, et nous commandons: les hors d'œuvre, les escargots, le steak, les haricots verts et les pommes allumettes.

Pendant que nous attendons les raviers de hors d'œuvre, on nous apporte la carte des vins, du beurre et du pain. Ayant consulté la carte des vins, nous choisissons un bon chablis pour accompagner les escargots et un saint-émilion pour la grillade. Comme les hors d'œuvre contiennent de l'huile et du vinaigre, il est inutile de les faire accompagner d'un vin.

Un commis vient changer nos couverts, en mettant ce qu'il faut pour la commande que nous avons faite, et place sur la table une ménagère qu'il enlève avant le mets suivant. Puis le chef de rang, ayant posé nos assiettes devant nous, apporte un plateau contenant des raviers de hors d'œuvre, et nous choisissons du hareng Bismarck, de la salade russe, des oignons Escoffier et des cerneaux confits.

Comme les hors d'œuvre servent à aiguiser notre appétit, nous sommes prêts, les ayant consommés, à savourer le fumet des escargots et du vin blanc sec.

On sert les escargots sur le plat dans lequel on les a fait cuire, c'est-à-dire dans une escargotière, plat rond métallique comprenant six creux ronds, un pour chaque escargot. Le couvert qu'on met pour les escargots est celui qui nous avons déjà décrit dans le chapitre consacré au matériel du restaurant.

Après les escargots, nous passons à la pièce de résistance, le steak grillé. Il s'agit d'une viande noire, donc nous choisissons, pour l'accompagner, une bouteille de saint-émilion, vin rouge de Bordeaux. Comme le chef de rang nous a demandé si nous voulons que notre steak soit au bleu, saignant, à point ou bien cuit, et comme nous avons spécifié que nous préférons notre steak saignant, nous sommes très contents de voir que le chef grillardin l'a exactement fait comme nous demandions.

Après avoir placé la viande sur l'assiette, avec sa garniture de cresson, on nous apporte ensuite de la sauce béarnaise pour couvrir la viande. Puis on nous sert les légumes, d'abord les pommes allumettes, et ensuite les haricots verts.

A ce point, un commis vient nous offrir de la moutarde – française, anglaise et peut-être même allemande.

Le vin rouge, différent du chablis (apporté dans un seau à glace), arrive dans un panier à vin, et, le sommelier l'ayant, comme pour le vin blanc, fait goûter à celui qui a commandé le vin, c'est-à-dire l'hôte, remplit nos verres un à un, commençant par les dames, passant aux messieurs, puis, enfin, à l'hôte.

Plus tard, lorsque notre commis voit que nous avons tous fini de manger, il vient enlever nos assiettes, en les empilant une à une et en mettant ensemble les fourchettes à angle droit au-dessus des couteaux. Puis on replace les menus devant nous et nous invite à choisir entre le bavarois et les fromages. Nous préférons les fromages, et parmi eux un petit suisse. Si, à ce point, nous avions commandé le bavarois, un commis serait venu enlever les condiments, le beurre et le pain. Comme, cependant, nous prenons le fromage, on les laisse, et le commis enlève le couvert à entremets et nettoie la nappe à l'aide d'un ramasse-miettes.

Ensuite on apporte des assiettes à fromage, de petites fourchettes, du poivre de Cayenne et du sucre en poudre; on met encore du beurre et du pain, et on apporte la planche à fromages. Le chef de rang, les ayant désenveloppés, présente les petits suisses, et, à l'aide d'une pelle à fromage, met un petit fromage entier sur chaque assiette. Nous saupoudrons le fromage de poivre et de sucre, le broyons de la fourchette et en savourons le mélange de parfums.

Nous terminons notre repas par une demi-tasse de café, bien noir et bien fort, et une petite fine. Ayant demandé l'addition, nous la réglons, en ajoutant un pourboire de dix pour cent environ pour le personnel. Nous remercions le maître d'hôtel et notre chef de rang et nous partons, très contents du repas que nous avons fait.

Traduisez en français

1. As we were in town, we decided to have lunch at a restaurant.

2. We preferred the à la carte menu, but as we were in a hurry we chose the table d'hôte.

3. For the second course there was a choice between mushroom omelette and snails Burgundy style.

4. It is pointless to drink wine with hors d'œuvre, as oil and vinegar do not go well with alcohol.

5. Chablis, a dry white Burgundy wine from the Yonne district, is excellent as an accompaniment to snails.

6. Snails are served on a snail-dish, and are usually highly seasoned.

7. One should always serve red wine, not white, with steak.

8. We asked the waiter to congratulate the chef.

9. Having poured a little wine, for the host to try it, the wine-waiter then serves the ladies first, the gentlemen next and the host last.

10. When we had finished the main course, we were invited to choose between cheese and a sweet.

11. If we had asked for a sweet, the condiments, the butter and the bread would have been removed.

12. There are usually about half a dozen cheeses on the cheese-board.

13. A "petit suisse" is usually accompanied by Cayenne pepper and castor sugar.

14. When we paid the bill, we left a ten per cent tip for the staff.

15. We enjoyed our meal very much, and thanked the head waiter on our way out.

Répondez en français aux questions suivantes:

1. Que comprenez-vous par l'expression «table d'hôte»?

2. Pourquoi est-il inutile de prendre du vin avec les hors d'œuvre?

3. Quelle est la bonne méthode de servir les escargots bourguignonne?

4. Pouvez-vous nommer deux vins, dont un qui va bien avec les escargots et l'autre avec un steak grillé béarnaise?

5. Que comprenez-vous par l'adjectif «saignant»?

6. Qui est responsable de la préparation des grillades?

7. Quelles sont les caractéristiques de la moutarde allemande?

8. Pourquoi nous offre-t-on de la moutarde avec le steak?

9. Quels sont les meilleurs fromages français?

10. Que fait-on pour préparer la table si nous commandons du fromage?

11. Pourquoi sert-on du poivre de Cayenne et du sucre en poudre avec les petits suisses?

12. Quelle est la fonction de la petite fourchette qu'on met pour le service des petits suisses?

13. Quelle est l'importance du café noir pris à la fin d'un repas?

14. Que comprenez-vous par l'expression «pourboire»?

15. Quelle est la méthode qu'on adopte pour distribuer les pourboires au personnel?

JUIN

Déjeuner
Table d'hôte

★

Salade de thon vinaigrette
ou
Hors d'œuvre italienne

★

Œuf à la gelée à l'estragon
ou
Ravioli au jus

★

Tournedos Choron
ou
Caneton rôti à l'anglaise

Petits pois aux laitues

Pommes nouvelles au beurre

★

Fraises Romanoff
ou
Bombe Montmorency

JUIN

Dîner
Table d'hôte

★

Frivolités moscovites
ou
Consommé Xavier

★

Paupiette de sole au coulis d'écrevisses
ou
Rouget grillé

★

Poularde pochée anglaise
ou
Filet de veau poêlé jardinière

Salade de romaine

Aubergines turque

Pommes Berny

★

Compote de cerises au kirsch
ou
Sablé parisien

7. Le Dîner

(DINNER)

L'autre jour ma sœur et moi nous avons invité notre cousin à dîner dans un nouvel hôtel pour fêter son anniversaire. J'ai téléphoné la veille pour réserver notre table, et on nous a assuré que nous aurions une bonne place, en effet une table d'alcôve.

En arrivant, et avant de nous mettre à table, nous avons décidé de prendre un apéritif ou un cocktail, donc nous sommes entrés dans le bar américain. Là ma sœur a choisi un Martini doux, mon cousin un xérès bien sec et moi un Campari. Pendant que nous les dégustions, on nous a apporté la carte et nous avons fait notre choix pour le dîner. Comme ma sœur et mon cousin voulaient que je choisisse pour nous tous, j'ai commandé du saumon d'Écosse fumé, du potage Germiny, de petites soles Amiral, un perdreau en cocotte bourguignonne, une salade de laitue, des pommes croquettes et des crêpes Suzette.

Puis, ayant repris un apéritif et causé pendant une demi-heure, nous nous sommes enfin attablés. Lorsque nous avons pris nos places, notre chef de rang nous a apporté notre premier plat, du saumon d'Écosse fumé. Il nous a servi d'abord une roulade de saumon à chacun, et puis les accompagnements – du citron, du poivre de Cayenne, un moulin à poivre et de petites tartines de pain bis.

Après ce hors d'œuvre savoureux, nous avons passé au potage, fait de consommé, de jaunes d'œufs et de crème, avec une garniture d'oseille – mélange délicat, accompagné de paillettes au parmesan. C'est à ce moment que le sommelier s'est présenté, et nous avons commandé le vin blanc qui allait accompagner le mets suivant, pour qu'il eût le temps de se glacer, et le vin rouge que l'on devait servir avec le perdreau. Pour le premier, nous avons choisi du vouvray, et pour le second du château-neuf-du-pape.

Ensuite, ayant dégusté avec plaisir notre soupe, nous avons causé en attendant le poisson. Ayant approché une petite table de la nôtre, on nous a présenté les soles entières pour nous les montrer, puis on les a posées sur la petite table afin d'enlever les arêtes. Cette opération accomplie, le chef de rang nous a servi les filets, quatre à chacun. Pendant que nous mangions le poisson, le commis est allé chercher les laitues au buffet froid et le chef de rang a préparé notre salade dans un saladier. Nous avons choisi nous-mêmes l'accompagnement – cette fois une vinaigrette.

En même temps le sommelier, qui nous a apporté le vouvray dans un seau à glace, m'a fait goûter le vin. Lorsque je l'ai approuvé, il a rempli nos verres, en commençant par celui de ma sœur et en finissant par le mien. Le fumet du vin s'est bien mêlé à la saveur du poisson, et le mélange nous a paru délicieux. Nous n'avons pris qu'un verre de vin blanc, puisque nous avions décidé de laisser l'autre moitié de la bouteille pour les crêpes Suzette.

Bien qu'il faille mettre une demi-heure dans la cuisine pour préparer un perdreau en cocotte bourguignonne – fait, d'ailleurs, que l'on pouvait noter sur le menu – il était prêt juste au moment où on a enlevé les assiettes à poisson.

Le commis a aidé notre chef de rang à servir notre mets principal, en utilisant la petite table de service. Tout d'abord il a apporté le perdreau en cocotte et les assiettes à viande, puis les assiettes à salade et les pommes de terre. Le chef de rang nous a présenté le perdreau et en a chargé les assiettes à la petite table. Pendant que le commis posait celles-ci devant nous, le chef de rang a mis de la salade sur les assiettes à salade et le commis les a posées devant nos assiettes à viande mais un peu à leur gauche, avec de petites fourchettes pour manier la salade. On a servi les pommes de terre réchauffées, et avec notre vin rouge le service du mets principal s'est achevé.

Nous avons mangé avec délice, et, au moment ou nous finissions notre plat principal et qu'on enlevait nos assiettes, le chef de rang est rentré apporter tout ce qu'il fallait pour faire les crêpes Suzette. La méthode qu'il a adoptée était celle de la maison ou nous mangions (comme vous le savez, il y a plusieurs méthodes de préparation). Il a répandu du sucre dans une poêle, l'a coloré, sans le caraméliser tout à fait, à l'aide du réchaud, puis y a ajouté un mélange de beurre, de jus de citron et d'orange, de Grand Marnier, et de morceaux de sucre qu'on avait imprégné de l'huile d'écorces de citron et d'orange. On a chauffé le mélange jusqu'à le rendre visqueux, et on y a mis, une à une, les crêpes préalablement cuites, en les pliant en quatre et en les couvrant de la sauce. Juste au moment de les servir on les a arrosées d'un peu d'eau-de-vie et on les a flambées. Le commis ayant placé nos assiettes, le chef de rang nous a servi les crêpes toujours flambantes, que nous avons fait accompagner du reste du Vouvray.

Pour terminer notre repas nous avons pris un café excellent, puis un cognac servi dans un ballon chauffé, et après avoir réglé l'addition nous sommes partis, très satisfaits de notre soirée.

Traduisez en français:

1. To be sure of a good table we had made a reservation by telephone.

2. While we were in the bar, we were shown the menu, and we made our order.

3. Scotch smoked salmon is an excellent hors d'œuvre, but it is very expensive.

4. Cheese straws are served with many kinds of soup.

5. We ordered the white wine in plenty of time for it to be chilled.

6. The waiter filleted the soles before serving them to us.

7. The wine-waiter brought our white wine in an ice-bucket.

8. Salad plates are different in shape from ordinary plates.

9. The station waiter prepared the lettuce salad in a salad-bowl.

10. The preparation of crêpes Suzette requires skill and concentration.

11. The pancakes, which had been cooked previously, were immersed in the mixture in the pan and folded in four.

12. The cognac helped us to digest the meal we had just had.

13. Cognac is sometimes served in large balloon-shaped glasses.

14. As we had eaten and drunk well, we were very pleased with our evening.

15. Dinner in a restaurant is often very expensive, but more pleasant than dinner at home.

Répondez en français aux questions suivantes:

1. Entre quelles heures du soir prend-on le dîner?

2. En quoi un menu de dîner peut-il souvent différer d'un menu de déjeuner?

3. Pourquoi fait-on quelquefois la commande pour un repas avant de s'attabler?

4. Quelles sont les caractéristiques du Campari?

5. Quels sont les accompagnements qu'on sert avec le saumon fumé?

6. De quoi fait-on un potage Germiny?

7. A quel point du dîner le sommelier se présente-t-il?

8. Comment enlève-t-on les filets d'une sole?

9. Pourquoi met-on quelquefois sur le menu le temps de cuisson de tel ou tel plat?

10. Comment prépare-t-on une salade dans la salle à manger?

11. Que fait-on pour rendre les crêpes Suzette tellement savoureuses?

12. Quelle est l'importance d'une eau-de-vie ou d'une liqueur prise à la fin d'un repas?

13. Pourquoi choisit-on la carte, plutôt que la table d'hôte, plus souvent pour le dîner que pour le déjeuner?

14. En quoi la carte diffère-t-elle de la table d'hôte?

15. Combien de plats prend-on d'habitude si l'on dîne à la carte?

JUILLET

Déjeuner
Table d'hôte

*

Melon cantaloup
ou
Figues fraîches aux crevettes roses

*

Œufs brouillés aux tomates
ou
Blanchaille frite

*

Côte de veau milanaise
ou
Jambon d'York braisé au madère

Épinards en branches

Pommes Anna
ou
Pommes persillées

*

Savarin Chantilly aux fruits
ou
Mousse aux abricots

JUILLET

Dîner
Table d'hôte

*

Consommé de homard au xérès
ou
Potage Sévigné

*

Timbale d'écrevisses moscovite
ou
Petite truite à la nage

*

Noisette de veau en cocotte
ou
Caneton braisé aux petits pois

Salade de haricots verts

Artichauts Barigoule

Pommes lyonnaise

*

Pêches Melba
ou
Flan normande

8. The Restaurant Menu: Grammatical Basis of Description

Although, for general purposes, it will be assumed that the student has a sufficient knowledge of French to enable him to use this book without too much difficulty, this chapter is intended also for those who have little or no acquaintance with French and who wish to learn only enough to enable them to draw up menus in which the French is both accurate and authentic. Thus, a study of this chapter might enable the creator of a new and original dish to give it a correct description in French.

ONE: GENERAL GRAMMATICAL BASIS

1. All French nouns are of masculine or feminine gender, even if they are the names of inanimate objects, i.e. "things". In English, most "things" are of neuter gender – "it" – although a few exceptions, such as sea-going craft and motor-cars, may be colloquially or affectionately referred to as "she". In French, the word for "fish" is masculine, but the word for "meat" is feminine.

2. All French adjectives have forms which correspond with the gender (masculine or feminine) and the number (singular or plural) of the nouns they describe. Since definite articles ("the") and indefinite articles ("a", "an", "some") are also adjectives, they also have forms corresponding with the gender and number of the nouns they describe.

As a general rule, French adjectives have a basic form, the masculine singular, which is made feminine by the addition of *e*, plural by the addition of *s*, and feminine plural by the addition of *es*. Here are two examples of the rule:

	petit=small			noir=black	
	SING.	PLUR.		SING.	PLUR.
MASC.	petit	petit*s*	MASC.	noir	noir*s*
FEM.	petit*e*	petit*es*	FEM.	noir*e*	noir*es*

Adjectives which do not conform to the rule may be noted in the French–English section of the vocabulary. Examples of these are:

vieux=old

	SING.	PLUR.
MASC.	vieux, vieil	vieux
FEM.	vieille	vieilles

nouveau=new

	SING.	PLUR.
MASC.	nouveau, nouvel	nouveaux
FEM.	nouvelle	nouvelles

Contrary to what happens in the English language, most French adjectives follow the nouns they describe. Thus, "boiling water" becomes "eau bouillante". Certain common French adjectives, however, usually precede the noun. Some of these are:

grand   jeune   bon   petit   vieux   mauvais

3. In English, noun epithets usually precede the noun they describe, as in "tomato soup", "wine waiter" and "order check". In French, the principal noun must come first, and is usually followed by "de" and the noun epithet: "purée de tomates", "commis de vins" and "bon de commande".

4. The conjunction "with", usually translated into everyday French by "avec", normally becomes, when describing an accompaniment to an item on the restaurant menu, "à" with the appropriate definite article, e.g.:

Melon au gingembre
Asperges froides à la vinaigrette
Carré d'agneau aux racines

TWO: ADJECTIVES AND NOUN EPITHETS
Nearly all descriptions of items on the restaurant menu consist of nouns accompanied by adjectives, adjectival phrases or noun epithets. These fall, broadly speaking, into five categories:

1. Adjectives describing intrinsic qualities of the unprepared commodity, such as size, age, colour, etc.

petits pois
pommes nouvelles
chou vert

2. Adjectives describing the country or locality of origin of the unprepared commodity.

> huîtres portugaises
> canard rouennais
> endive belge

3. Adjectives, formed from past participles of verbs, describing processes of cooking or other preparation. In the case of *named* portions or cuts of meat, fish, etc., the adjective agrees, in gender and number, not with the commodity itself but with the portion named:

> Melon frappé
> Œufs brouillés
> Darne de saumon grillée, sauce anchois
> Selle de mouton braisée

4. Adjectives, in the feminine singular form, expressing a style of preparation peculiar to, or named after, a country, province, town or other locality, profession, trade, social class, epoch, etc.

> Chou-fleur polonaise
> Tomate provençale
> Spaghetti bolonaise
> Ris de veau financière
> Petits pois fermière
> Navarin bourgeoise
> Bécasse ancienne

N.B. "à la mode parisienne"="in the Parisian style". Thus adjectives in this group are feminine singular in form to agree with the feminine singular noun "mode". This formula is usually abbreviated; for instance, "petits pois à la mode française" has become "petits pois à la française" or even "petits pois française". In most cases, "à la mode" is left out, although it still exerts its influence on the grammatical form of the adjective.

This use of "à la" is not to be confused with the feminine singular form of the construction described in item 4 of the general grammatical basis outlined above.

5. Noun epithets, invariable in form, and carrying a capital letter if they are proper nouns. They do not in themselves indicate a style of preparation, but usually

mean that the dish concerned has been dedicated to, or named after, a person, work of art, building, institution, vocation, epoch, etc.

Crème Agnès Sorel
Ruche Édouard VII
Bombe Aïda
Pommes Pont-Neuf
Ris de veau chasseur
Baron d'agneau Renaissance

THREE: USE OF CAPITAL LETTERS

As a general rule, French restaurant menus on view in English catering establishments show a marked lack of restraint in the use of capital letters. Menu-cards offering gastronomic delights such as

La Vraie Tortue Claire Aux Paillettes Dorées

have obviously been prepared by persons who are utterly unacquainted with the problems involved.

The correct usage is as follows:

1. A capital letter should be used for the first word of the row of words, as for the first word of a line of verse.

2. A capital letter should be used as indicated in section two, item five, above.

3. Apart from these two provisions, there is no justification for the use of capital letters in menu French.

N.B. The use of definite articles at the beginning of the word-row, as in the example above, is superfluous and should be discouraged.

FOUR: QUANTITY – SINGULAR OR PLURAL?

When the restaurant menu is compiled, it is necessary to decide whether the main nouns in each item are to be given in the singular form or in the plural. A few general rules help us to decide which to use.

1. Nouns which normally appear in the singular or in a partitive form, such as "jambon", "potage" and "turbot", will be left in the singular.

2. Nouns describing commodities normally spoken of in the plural, such as "petits pois", "profiteroles" and "câpres", will appear in the plural.

3. When more than one unit of an item is served to

each cover, as "quenelles", "rognons" and "crêpes", the plural form will be used.

4. Nouns describing items figuring as garnishes normally take the plural form, except for the proviso made in rule 1. Thus we would find

> Petits pois aux laitues

but

> Petits pois au beurre

FIVE: ITALIAN FOODS

Names of characteristic Italian foods frequently fare badly on the French restaurant menu. A list of them (without translations and explanations, which it is hoped to include in a later volume) appears below, showing gender and number in each case.

> cannelloni, m.pl.
> gnocchi, m.pl.
> lasagne, f.pl.
> macaroni (in Italian maccheroni), m.pl.
> polenta, f.sing.
> ravioli, m.pl.
> scampi, m.pl.
> spaghetti, m.pl.

Thus, to write "spaghettis" would be to make the word plural twice.

SIX: SEQUENCE OF ITEMS ON THE MENU

The compiling of the menu itself is the responsibility, not of the restaurant, but of the maître-chef, who must consider:

1. The availability of commodities.

2. The purposes for which the menu is intended.

3. The limitations of the staff, premises and equipment at his disposal.

4. Good dietetic, gastronomic and aesthetic balance.

As it is not intended here to lay down strict rules about the sequence of the menu, it will be sufficient to say that a general and limited answer to the problem may be found in the table d'hôte menus appearing at the end of each chapter of this book.

AOÛT

Déjeuner
Table d'hôte

Hors d'œuvre parisienne
ou
Pamplemousse cerisette

*

Omelette aux rognons
ou
Rouget grillé béarnaise

*

Poulet sauté Marengo
ou
Longe de veau normande

Salade de haricots verts

Pommes vapeur

*

Soufflé au parmesan
ou
Fraises des bois

AOÛT

Dîner
Table d'hôte

Consommé Mikado
ou
Velouté aux concombres

★

Demi-homard Thermidor
ou
Darne de saumon Radziwill

★

Vol-au-vent Godard
ou
Côte de veau en cocotte

Salade de mâche

Petits pois au sucre

Pommes purée

★

Coupe Jacques
ou
Pâtisseries

9. Menus spéciaux

SOCIÉTÉ DES AMIS DE LA GASTRONOMIE

Dîner
40 *couverts*

★

Hors d'œuvre variés

★

Bisque d'écrevisses

★

Suprême de barbue florentine — *Pouilly-Fuissé* 1955

★

Selle d'agneau Renaissance — *Château Lafite* 1952

★

Sorbet au kirsch

★

Faisan rôti sur canapé — *Pommard* 1953

Salade d'endive

★

Parfait glacé Bénédictine — *Veuve-Clicquot*

★

Corbeille de fruits
Délices de dames

★

Café — *Liqueurs*

le 27 novembre 1960

THE WORSHIPFUL COMPANY OF UMBRELLA-REPAIRERS

LUNCHEON

Saumon d'Écosse fumé

★

Barbue pochée Commodore   *Chablis* 1953

★

Selle de pré-salé à la gelée   *Château Cheval-*
de groseilles   *Blanc* 1952

Broccoli au beurre

Pommes boulangère

★

Savarin aux fraises   *Bollinger* 1953

★

Fromages variés

★

Café   *Cockburn's* 1949

15 June 1960

FARNTHORPE BUSINESSWOMEN'S CLUB

ANNUAL DINNER

Melon frappé

★

Consommé de homard   *Amontillado*

★

Filets de sole Cubat   *Heidsieck* 1953

★

Tournedos Clermont

Salade de mâche

★

Orange Côte d'Azur

★

Café   *Strega ou Cherry Heering*

3 April 1960

THE HURLINGTON HARRIERS

ANNUAL DINNER

Canapés moscovite   *Amontillado*

*

Crème d'asperges

*

Truite saumonée au vin de Moselle   *Berncasteler*
                                     Doktor 1952

*

Filet de bœuf provençale   *Volnay* 1953

Petits pois anglaise

Pommes noisettes

*

Glace Comtesse-Marie   *Asti spumante*

*

Petits-fours

*

Café   *Liqueurs*

30 May 1960

MASONIC LADIES' FESTIVAL

Pamplemousse cerisette

★

Velouté gasconne

★

Filet de sole Véronique   *Château Peyrai*
                                   1952

★

Caneton d'Aylesbury rôti anglaise *Nuits Saint-*
                                   Georges 1953

Petits pois au beurre

Pommes fondantes

★

Bombe abricotine

★

Café   *Port*

17 October 1960

THE FORTY-SEVEN CLUB

ANNUAL DINNER AND DANCE

Tortue claire au xérès

★

Darne de saumon Valois *Tavel rosé*

★

Perdreau rôti *Grand Hermitage*
Salade Lorette *Rouge* 1953

★

Pêche Melba *Perrier Jouet*

★

Canapé Diane

★

Café *Liqueurs*

8 October 1960

SEPTEMBRE

Déjeuner
Table d'hôte

Caviar frais
ou
Domino de foie gras

★

Nouilles alsacienne
ou
Truite meunière

★

Civet de lièvre allemande
ou
Poulet rôti au lard

Salade de céleri
ou
Petits pois au beurre

Pommes purée

★

Compote de poires à la vanille
ou
Pâtisseries

SEPTEMBRE

Dîner
Table d'hôte

Huîtres
ou
Purée Fontanges

*

Mousseline d'écrevisses ancienne
ou
Merlan sur le plat

*

Longe de veau braisée aux concombres
ou
Râle de genêt à la broche

Salade de cresson

Pointes d'asperges au beurre

Pommes Anna

*

Bombe moscovite
ou
Gâteau Condé

10. Les Vins

(WINES)

Les vins forment une partie intégrale de la gastronomie et méritent une étude plus profonde et plus détaillée que nous allons leur consacrer ici. Tous ceux qui veulent augmenter leur connaissance du vin trouveront une documentation considérable portant sur les vins de tous les pays et de tous les genres. Nous ne nous occuperons ici que de quelques vins qui viennent de France, d'Allemagne, d'Espagne, de Portugal et d'Italie.

LA FRANCE

Les plus importantes régions vinicoles de la France sont: la Champagne, la Bourgogne, le Bordelais, les Côtes du Rhône, l'Alsace et le Val de Loire.

Le champagne, aristocrate des vins français, provient d'une région dont la ville la plus importante est Reims. Ce grand vin blanc, préparé selon une méthode très spéciale que l'on appelle la champagnisation, est presque toujours mousseux et se trouve destiné le plus souvent à accompagner les festins et les fêtes. Il est connu d'ailleurs dans le monde entier.

La Bourgogne fournit plusieurs vins rouges d'une excellente qualité, y compris: le beaujolais, le beaune, le pommard et le mâcon, et quelques grands vins blancs, comme, par exemple, le chablis et le meursault. Les vins rouges de Bourgogne se servent chambrés, c'est-à-dire à une température de 65° F. environ, et les vins blancs frappés, à 45° ou 50° F.

La région très importante du Bordelais, dont le centre d'exportation est la ville de Bordeaux, comprend la Garonne et la Dordogne inférieures ainsi que des terrains bordant les deux rivages de la Gironde. Les vins blancs de Bordeaux les mieux connus en Grande-Bretagne sont ceux de Graves et de Sauternes, et parmi les vins rouges, bien différents de ceux de Bourgogne, nous pouvons citer le margaux et le saint-julien.

Les Côtes du Rhône fournissent des vins moins nombreux mais de grande classe. En Grande-Bretagne, on connaît bien le vin rouge de Châteauneuf-du-Pape et, moins bien, le tavel rosé.

L'Alsace est une région assez étendue bordant la rive gauche du Rhin. Elle est connue surtout pour ses grands vins blancs pleins de gaîté qu'on fabrique avec les raisins riesling, sylvaner et traminer.

Le Val de Loire, contrée des plus grands châteaux de France, ceux de Tours, de Blois, d'Amboise et d'Azay-le-Rideau, nous offre des vins rouges, rosés et blancs de plusieurs genres, y compris les vins blancs mousseux d'Anjou et de Saumur.

L'ALLEMAGNE

Dans le monde entier, la France est aussi renommée pour ses vins rouges que pour ceux blancs; au contraire, l'Allemagne, tout en ayant très peu de vins rouges et rosés de distinction internationale, jouit d'une excellente réputation grâce à ses vins blancs presque incomparables.

Plusieurs d'entre les vins du Rhin partagent quelques caractéristiques au moins avec les vins de la province avoisinante d'Alsace, mais les vastes étendues des régions vinicoles du Rhin et de la Moselle rendent possible une plus grande diversité de genres et de qualités.

On met les vins blancs du Rhin dans des bouteilles brunes et les sert dans des verres bruns à grand pied. Les vins blancs de la Moselle nous parviennent dans des bouteilles vertes et se servent dans des verres à grand pied de même couleur.

Comme les vins mousseux et non mousseux qui ont assuré au nom de Champagne son unique réputation mondiale sont assez chers lorsqu'on les compare avec d'autres grands vins français qui se vendent en Angleterre, les négociants britanniques ont commencé à s'intéresser plus vivement aux vins mousseux allemands, de style «champagne», connus sous le nom de «Deutschersekt». Ces vins se servent, en Allemagne du moins, dans des flûtes à champagne plutôt que dans des coupes.

L'ESPAGNE ET LE PORTUGAL

La péninsule ibérique a su produire, pendant des siècles, des vins parmi les plus grands du monde entier, et trois vins en particulier, tous vinés, qui se vendent en Angleterre depuis bien longtemps sont: le xérès, venant de la région autour de Jerez de la Frontera en Espagne; le porto, dont le port d'exportation est Porto; et le madère qui, tout en ne venant pas du Portugal proprement dit, provient de l'île de Madère, dépendance portugaise dans l'Océan atlantique.

Quant aux vins rouges et blancs non vinés, l'Espagne et le Portugal ne produisent rien qui puisse égaler les plus grands vins de France et d'Allemagne. Il est triste, d'ailleurs, de devoir signaler qu'il se vend en Grande-Bretagne nombre de vins espagnols qui portent les noms de grands vins français qu'ils voudraient imiter, tels le «bourgogne espagnol» et le «chablis espagnol».

L'ITALIE

L'Italie, pays de splendeur architecturale, centre de la civilisation latine et du grand tour méditerranéen, jouit d'un doux climat favorable à la viniculture. Les vins rouges et blancs d'Italie, ainsi que les apéritifs de renom mondial, se trouvent dans presque tout restaurant anglais.

De tous les vins non vinés d'Italie, le mieux connu chez nous en Grande-Bretagne est le chianti, de couleur rubis, qui vient des montagnes et des collines de la Toscane. Beaucoup d'entre les vins italiens portent des noms charmants, plutôt compliqués dans leur langue d'origine, qui ne se traduisent facilement ni en français ni en anglais. Mais nous pouvons citer, en conservant son nom italien, l'«asti spumante», vin mousseux parmi les plus délicieux du monde.

*   *   *

Traduisez en français:

1. Alsace is one of the oldest provinces in France.
2. My friends know very little about wine.
3. The fortified wines of Spain and Portugal are very important.

4. What do you think of Yugoslav wines?

5. The Garonne and Dordogne rivers meet to form the Gironde.

6. Barsac is one of the sweetest Bordeaux wines.

7. One rarely sees hock in green bottles.

8. Chianti is the best-known Italian red wine.

9. Bordeaux and Oporto are both very important sea-ports.

10. German red wines are not so well-known abroad as white ones.

11. The Loire Valley is one of the most picturesque districts in France.

12. This apéritif costs more than a pound a bottle.

13. Which are the most important towns in the Burgundy district?

14. Spain and Portugal are very proud of their fortified wines.

15. The Riesling grape is found in several countries.

Répondez en français aux questions suivantes:

1. Quelle est la différence entre un vin viné et un vin non viné?

2. Où se trouve le Val de Loire?

3. Quel est le centre d'exportation du xérès?

4. Pouvez-vous citer quatre communes de la région d'Entre-Deux-Mers?

5. Quelles sont les qualités des vins rosés de la Loire?

6. Que pensez-vous des vins espagnols qui essaient d'imiter les caractéristiques des vins français?

7. Quels sont les états qui forment la péninsule ibérique?

8. Pourquoi la Toscane est-elle importante dans la viniculture?

9. Que fait-on pour chambrer un vin?

10. Les vins blancs du Rhin sont-ils doux ou secs?

11. Pouvez-vous nommer les caractéristiques du madère?

12. Quel est votre vin préféré, et pourquoi?

13. Qu'est-ce que c'est que le vin rosé?

14. D'où viennent les meilleurs vins mousseux?

15. Que fait-on pour frapper un vin?

OCTOBRE

Déjeuner
Table d'hôte

Huîtres de Marennes
ou
Hors d'œuvre

*

Escargots bourguignonne
ou
Maquereau grillé maître-d'hôtel

*

Faisan chartreuse
ou
Côte de bœuf paysanne

Aubergines provençale

Pommes fondantes

*

Mont-Blanc aux marrons
ou
Fromages variés

OCTOBRE

Dîner
Table d'hôte

Tortue claire au madère
ou
Potage crème d'oseille à l'orge

★

Timbale de sole Newburg
ou
Barbue sur le plat

★

Caille au risotto piémontaise
ou
Selle de pré-salé aux laitues

Salade Véronique

Céleri à la moelle

Pommes mignonnette

★

Bombe Victoria
ou
Sablé florentin

11. Le Bar

(THE BAR)

Que comprenons-nous par «le bar»? En Angleterre il y a:

I. Le bar public, où les clients peuvent commander des boissons et les déguster, en se tenant debout s'ils le préfèrent. Tels sont les bars des «public houses» et des «inns». Dans la plupart des «public houses» il y a trois bars, le «public bar», le «private bar» (ou «saloon bar») et le «lounge bar». Dans ce dernier, on trouve souvent un commis chargé de servir les tables, bien que rien n'empêche les clients de se tenir debout au comptoir s'ils le veulent.

II. Les bars des grands hôtels, y compris le «American bar», le «cocktail bar» et le «dispense bar».

«American bar» Ici on peut s'asseoir, soit à table soit au comptoir, et commander tout genre de boisson – bière, spiritueux, vins, cocktails, apéritifs, etc.

«Cocktail bar» Le «cocktail bar» fournit des cocktails et d'autres mélanges de boissons. En général, le public peut y entrer et s'asseoir au bar ou à table.

«Dispense bar» Ce bar, à l'accès défendu aux clients, ne sert qu'à fournir les boissons demandées par ceux-ci aux commis. Un commis de vins apporte la commande qu'il a reçue d'un client assis dans la salle à manger, et c'est au commis de dispense de l'exécuter.

LE MATÉRIEL DU «DISPENSE BAR»

Comme un dispense idéal est, ou devrait être, à même de fournir tout genre de boisson qu'un client puisse désirer, il est évident que le matériel du dispense doit être considérable et varié. Il comprend tous les articles indispensables à la préparation des cocktails, comme, par exemple, les suivants: le frappe-cocktail, le verre à mélanges, la longue cuiller qui sert à remuer les mélanges, les mesures, la passoire, le rabot à glace, le poinçon à glace, le tire-bouchon, le décapsulateur, le seau à frapper, la pince à glace, la cuiller à absinthe, le presse-citrons, le porte-pailles, l'entonnoir à décanter, la planche à fruits, le panier à vin, etc.

Le frappe-cocktail   Bien qu'il existe divers types de frappe-cocktails, nous n'en trouvons d'habitude que deux dans le commerce anglais. Ce sont le «Boston» et le «Club». Le premier consiste en deux parties, de dimensions égales, façonnées de sorte que le bord du premier puisse entrer dans le bord du second pour faire un ensemble qui ressemble à un petit et mince tonneau long de vingt-cinq centimètres environ. Le second, en forme de flacon, comprend trois parties: le contenant; un premier couvercle, incorporant une passoire, rattaché au corps par la pression (la combinaison des deux donnant la forme de flacon), et un second couvercle qui couvre, également par la pression, la bouche de l'ensemble. La passoire qui se trouve dans le frappe-cocktail «Club» sert à empêcher le passage des fragments de glace lorsqu'on débouche l'ensemble pour verser le cocktail qu'on vient de frapper. Comme il n'y a pas de mécanisme équivalent dans le frappe-cocktail «Boston», il est nécessaire, en versant le cocktail, ou du «Boston» ou du verre à mélanges, d'utiliser une passoire d'une forme spéciale. Elle comprend une lame de métal en forme de cuiller plate, dont le cuilleron perforé a un diamétre de quatre ou cinq centimètres; rattaché par un bout au cuilleron il y a un ressort comprenant une spirale ronde de fil de fer qu'on peut manier de sorte qu'elle entoure le cuilleron pour empêcher toute matière solide de passer dans le verre.

En général, tous ces articles de matériel se font en argent massif ou en argenterie.

LE SERVICE DU «DISPENSE BAR»

La commande du client est porté par le sommelier ou le commis de vins au dispense, où un commis de dispense l'exécute. Pour chaque boisson fournie, le commis de dispense doit recevoir un bon de commande ou de l'argent comptant, ou quelque autre chose qui puisse vérifier la transaction dont il s'agit, selon le genre et la pratique de l'établissement.

Quant au service des liqueurs, le commis de vins, au lieu de faire une commande de telles ou telles mesures

des liqueurs qu'il va servir, porte les bouteilles mêmes à
la table des clients, sert les liqueurs, puis rapporte les
bouteilles. Le commis de dispense, ayant vérifié le contenu de chaque bouteille au départ et au retour, demande au commis de vins de l'argent, un bon de commande, ou un jeton, selon la coûtume de la maison.

LE SERVICE DES VINS QUI DÉPOSENT

Certains vins, par exemple les vins rouges de Bordeaux
et de Bourgogne, et le porto, ont la tendance de déposer.
Dans ce cas, il faut enlever le dépôt avant de les servir.
Cette opération s'accomplit à l'aide d'une carafe telle
que nous avons déjà décrite dans le chapitre consacré au
matériel de restaurant, et d'un entonnoir fait en trois
pièces, qui sont: le corps de l'entonnoir, de forme ordinaire, sauf l'extrémité inférieure courbée pour bien
s'enfoncer dans le goulot de la bouteille et s'y coller; une
pièce hémisphérique ou conique qui s'engage dans le corps
de l'entonnoir, et dont la base est ouverte pour qu'on y
mette la troisième pièce, qui est une grille métallique.

Pour décanter un vin on enlève la partie supérieure
avec la grille, on insère un papier filtre dans le corps de
l'appareil, puis on replace la pièce supérieure afin que le
vin passe par la grille métallique avant d'arriver au
papier filtre.

Comme il faut troubler le vin aussi peu que possible,
on l'apporte de la cave au bar dans un panier verseur, et
on le laisse chambrer avant de le servir. Donc il faut un
certain temps pour que le vin prenne la bonne température.

On enlève d'abord la capsule ou autre matière qui
couvre le bouchon, on essuie avec grand soin le goulot de
la bouteille, puis on tire le bouchon. À l'aide d'une bougie
allumée et posée derrière le corps de la bouteille, on
inspecte le contenu, tout en versant le vin, pour assurer
que le moins possible de dépôt quitte la bouteille. S'il est
possible, on vide la bouteille d'un seul trait.

Dans le cas des portos qui ont du dépôt, il faut adopter
le procédé suivant: d'un coup donné avec le dos d'une
lame de couteau, on découpe presque tout le goulot de la
bouteille, le bouchon y compris; puis on continue par la
meme méthode que nous avons déjà décrite. Cependant,

il faut dire que, de nos jours, les bouteilles ne sont pas produites de la même façon qu'autrefois, et il peut être dangereux de découper le goulot avec la lame d'un couteau. On emploie plutôt d'autres procédés: des pinces chaudes suivies de l'application d'un torchon mouillé, une ficelle (qui est utilisée pour faire un cercle chaud autour du goulot de la bouteille) suivie du torchon mouillé, et, enfin, l'emploie d'un tire-bouchon à deux mèches aplaties.

Une fois l'opération accomplie, on montre au client la bouteille vide et le bouchon, pour qu'il vérifie que ce soit bien le vin qu'il a choisi.

Traduisez en français:

1. Nearly all large hotels have a cocktail bar, an American bar or both.

2. In the American bar one should be able to get every kind of alcoholic drink.

3. Members of the public are forbidden to go into the dispense bar.

4. The dispense bar equipment includes: the cocktail-shaker, the strainer, the ice-pick, the corkscrew and the crown-cork bottle-opener.

5. The Boston cocktail-shaker is about ten inches long, and is very regular in shape.

6. The construction and shape of the Club cocktail-shaker are quite difficult to describe.

7. Methods of ordering at the dispense bar vary according to the practice of the establishment concerned.

8. When serving liqueurs, the wine-waiter takes the bottles from the dispense and charges the customers' glasses at their table.

9. The person in charge of the dispense must always check the contents of each liqueur bottle before passing it to the wine-waiter, and must check it again when the wine-waiter brings the bottle back.

10. It should never be necessary to decant white wines.

11. The operation of decanting crusted wines is a very delicate one.

12. The funnel used in the decanting of wine is a quite complicated piece of equipment, and is in three parts.

13. There must always be a strong spirit of co-opera-

tion between the dispense staff and the wine-waiters.

14. The bar cannot function well in an establishment which does not have a good cellar.

15. Many hotels and restaurants are more famous for their bars than for any of their other amenities.

Répondez en français aux questions suivantes:

1. Quel est le détail en quoi le «lounge bar» diffère quelquefois des autres bars dans les «public houses»?

2. Quelle est la fonction du bar américain?

3. Quelle différence y a-t-il entre un apéritif et un cocktail?

4. Le public peut-il entrer dans le «dispense bar»?

5. Pouvez-vous nommer cinq articles de matériel utilisés dans la préparation des cocktails?

6. Quelle est l'importance du frappe-cocktail?

7. Combien de types de frappe-cocktail trouve-t-on d'habitude dans le commerce anglais?

8. Quelle est la forme du frappe-cocktail «Club»?

9. Pourquoi faut-il incorporer une passoire dans les frappe-cocktails?

10. Qu'est-ce que le commis de dispense doit recevoir en échange des matières qu'il fournit?

11. Pourquoi le commis de dispense doit-il vérifier le contenu de chaque bouteille à liqueur au départ du bar et au retour?

12. Peut-on distinguer entre les dépôts qu'on trouve dans le porto et ceux des vins rouges français?

13. Pourquoi faut-il enlever les dépôts qui se trouvent dans les vins?

14. Quelle est la fonction d'un entonnoir?

15. Pourquoi le matériel métallique du dispense se fait-il d'habitude en argent?

NOVEMBRE

Déjeuner
Table d'hôte

Crêpes moscovite
ou
Pâté de foie gras périgourdine

*

Œuf poché Mogador
ou
Riz pilaf turque

*

Châteaubriand béarnaise aux pommes sucrées
ou
Salmis de bécasse

Salade de mâche

Crosnes à la crème

*

Soufflé de coing au kirsch
ou
Crème caramel

NOVEMBRE

Dîner
Table d'hôte

Consommé aux perles
ou
Velouté Caroline

*

Filets de sole Otéro
ou
Carpe miroir Chambord

*

Suprême de volaille Montpensier
ou
Jambon de Prague au paprika

Salade Beaucaire

Pointes d'asperges au beurre

Pommes Quelin

*

Coupe glacée aux marrons
ou
Pâtisseries

12. La Cave

(THE CELLAR)

La cave se trouve, proprement dit, dans le sous-sol de l'établissement, pour deux raisons: primo, parce que le sous-sol tient la température inchangée essentielle à la bonne conservation de beaucoup de boissons alcoolisées; secundo, pour s'assurer que les vins, surtout, sont agités le moins possible par des vibrations.

Les caractéristiques essentielles d'une grande cave sont les suivantes: une série d'alcôves cotoyant tous les murs, chaque alcôve contenant les casiers ou les porte-bouteilles qui tiennent les bouteilles mêmes; des chantiers (constructions en bois ou en maçonnerie) qui portent les fûts à vin pour que ces derniers soient faciles à manier mais, en même temps, abrités des secousses; un évier dont on se sert pour laver les bouteilles, les outils, etc.; un bouche-bouteilles, pour les vins qui sortent des fûts pour être mis en bouteilles dans l'établissement; et un casier qui contient les étiquettes, les capsules, les bouchons, etc.

Pour garder le contenu de la cave en bon état, il faut observer certaines règles au sujet de la température, de l'hygiène et de l'éclairage.

On devrait maintenir une température entre 10° C. et 13° C., soit de 50° F. à 55° F.; entre ces deux extrêmes de température la plupart des vins et des alcools gardent leurs meilleures qualités. Pour le service des vins il faut, bien entendu, glacer les vins blancs et porter les vins rouges à la température de la salle (c'est à dire, les chambrer).

Pour des raisons d'hygiène, il faut que les murs de la cave soient, en général, ou couverts de tuiles céramiques ou blanchis à la chaux, ce dernier traitement étant préférable non seulement pour la protection qu'il apporte contre les insectes mais aussi parce qu'il sert à purifier, chimiquement, l'atmosphère de la cave.

Il faut exclure presque entièrement la lumière de la

cave, sauf pour le peu d'éclairage nécessaire pour les opérations de bouchage, de nettoyage, d'inspection, de distribution, etc.

Bien que ce ne soit que dans les grandes caves qu'on met les vins en bouteilles, il vaut bien y consacrer une petite mention. Quand le fût de vin arrive dans la cave, on le pose sur un chantier, de façon à le laisser reposer, et que tout dépôt se sépare du liquide et reste au fond du fût. En même temps, on met le fût en perce, opération difficile à effectuer une fois le dépôt arrivé dans le fond du fût.

Pour mettre le vin en bouteilles, on ouvre le robinet pour goûter le vin, et si l'essai est concluant on peut commencer. On remplit les bouteilles jusqu'à un certain niveau, puis on les passe au bouche-bouteilles. Lorsqu'on a fini de boucher une bouteille, on y colle une étiquette, y met une capsule et puis on la range dans le casier qui lui est destiné.

On ne fournit qu'un nombre d'étiquettes égal au nombre de bouteilles remplies du vin en question, pour éviter que, soit par erreur soit à dessein, on ne mette une étiquette qui ne corresponde pas à la bouteille. Une carte qu'on attache au devant du casier montre le nombre de bouteilles qu'on y a mises, et il faut modifier le chiffre chaque fois qu'on retire une ou plusieurs bouteilles du casier.

Bien qu'il y ait beaucoup d'autres aspects de la cave qui sont très importants pour le caviste, ils n'ont que peu à voir avec le travail du restaurant même, donc nous n'avons pas l'intention de les traiter ici.

Traduisez en français:

1. There are at least two reasons why the wine-cellar is to be found in the basement of an establishment.

2. It is essential for wine in the cellar to be affected as little as possible by vibration.

3. The stillions which hold the wine-casks are made of wood or stonework.

4. Bottle-corking machines are found only in large establishments, and are used for bottling those wines which are brought to the cellar in wood.

5. In cellars where wine is bottled, there is a rack containing corks, capsules, labels, etc.

6. A temperature between 50° F. and 55° F. in the cellar helps wines to keep in good condition.

7. The sink found in the wine-cellar is used for the washing of bottles, etc.

8. Cellar walls are often whitewashed, to discourage insects and to purify the atmosphere.

9. There should be as little light as possible in the cellar.

10. Before wine is bottled, it should be tried to make sure that it is good.

11. Strict control must be exercised in the issue of wine-labels.

12. Casks are tapped as soon as they arrive in the cellar.

13. It is difficult to tap a cask once the sediment has gone to the bottom of it.

14. A bottle is labelled after it has been filled and corked.

15. The work of the cellarman is very complicated but very interesting.

Répondez en français aux questions suivantes:

1. Pourquoi faut-il situer la cave dans le sous-sol de la maison?

2. Pouvez-vous nommer trois caractéristiques d'une grande cave?

3. Quelles sont les parties essentielles des chantiers qui se trouvent dans la cave?

4. Pourquoi faut-il maintenir une température entre 10° C. et 13° C. dans la cave?

5. Que fait-on pour que le dépôt se sépare du vin dans le fût?

6. Quelle est la règle gouvernant l'éclairage de la cave?

7. Pouvez-vous expliquer pourquoi les murs de la cave sont souvent blanchis à la chaux?

8. Quelle est la fonction du réseau de casiers qui se trouve dans la cave?

9. Que comprenez-vous par l'expression «mettre un fût en perce»?

10. Que fait-on avec une bouteille de vin après l'avoir bouchée?

11. Pourquoi faut-il contrôler strictement le nombre d'étiquettes qu'on fournit pendant la mise en bouteilles?

12. Quelle est la fonction de la carte qu'on attache au devant du casier à vin?

13. Pourquoi le travail du caviste est-il si important pour le restaurant?

14. Quel est le rapport entre la cave et le bar?

15. Que fait-on avant de mettre un vin en bouteilles?

DÉCEMBRE

Déjeuner
Table d'hôte

Cocktail de crevettes grises
ou
Hors d'œuvre

★

Ravioli génoise
ou
Suprême de barbue Bercy

★

Blanquette de veau au céleri
ou
Oie rôtie à l'anglaise

Choux de Bruxelles au beurre

Pommes parisienne

★

Croûte aux champignons
ou
Mandarine au blanc-manger

DÉCEMBRE

Dîner
Table d'hôte

Caviar frais
ou
Potage Bonne-Femme

★

Mousseline de rouget orientale
ou
Turbotin russe

★

Selle d'agneau en cocotte
ou
Salmis de bécasse

Salade d'artichauts

Petits pois aux laitues

Pommes boulangère

★

Bananes meringuées
ou
Fruits

13. List of place-names etc. which may be adjectivalized

NOUN	ADJECTIVAL FORM		MEANING
	masc. sing.	*fem. sing.*	
Afrique, f.	africain	africaine	Africa
Algérie, f.	algérien	algérienne	Algeria
Allemagne, f.	allemand	allemande	Germany
Alsace, f.	alsacien	alsacienne	Alsace
Amérique, f.	américain	américaine	America
Andalousie, f.	andalou	andalouse	Andalusia
Angleterre, f.	anglais	anglaise	England
Angoulême	angoumois	angoumoise	Angoulême
Ardennes, f.pl.	ardennais	ardennaise	Ardennes
Arles	arlésien	arlésienne	Arles
Auvergne, f.	auvergnat	auvergnate	Auvergne
Aveyron, m.	aveyronnais	aveyronnaise	Aveyron
Bade, f.	badois	badoise	Baden
Bavière, f.	bavarois	bavaroise	Bavaria
Béarn, m.	béarnais	béarnaise	Béarn
Berne	bernois	bernoise	Berne
Berry, m.	berrichon	berrichonne	Berry
Biscaye	biscaïen	biscaïenne	Biscay
Bohème, f.	bohémien	bohémienne	Bohemia
Bologne	bolonais	bolonaise	Bologna
Bordeaux	bordelais	bordelaise	Bordeaux
Bosnie, f.	{ bosnien bosniaque	bosnienne } bosniaque }	Bosnia
Boulogne	boulonnais	boulonnaise	Boulogne
Bourgogne, f.	bourguignon	bourguignonne	Burgundy
Brabant, m.	brabançon	brabançonne	Brabant
Brésil, m.	brésilien	brésilienne	Brazil
Bresse	bressan	bressane	Bresse
Bretagne	breton	bretonne	Brittany
Brunoy	brunois	brunoise	Brunoy
Bruxelles	bruxellois	bruxelloise	Brussels
Byzance	byzantin	byzantine	Byzantium
Calais	calaisien	calaisienne	Calais
Cancale	cancalais	cancalaise	Cancale
Castille, f.	castillan	castillane	Castile
Catalogne, f.	catalan	catalane	Catalonia
Ceylan, m.	cingalais	cingalaise	Ceylon
Champagne, f.	champenois	champenoise	Champagne
Danemark, m.	danois	danoise	Denmark

NOUN	ADJECTIVAL FORM		MEANING
	masc. sing.	*fem. sing.*	
Dauphiné, f.	dauphinois	dauphinoise	Dauphiné
Deauville	deauvillais	deauvillaise	Deauville
Dieppe	dieppois	dieppoise	Dieppe
Dijon	dijonnais	dijonnaise	Dijon
Dunois	dunois	dunoise	Dunois
Écosse, f.	écossais	écossaise	Scotland
Égypte, f.	égyptien	égyptienne	Egypt
Espagne, f.	espagnol	espagnole	Spain
Fécamp	fécampois	fécampoise	Fécamp
Flandre, f.	flamand	flamande	Flanders
Florence	florentin	florentine	Florence
France, f.	français	française	France
Gascogne, f.	gascon	gasconne	Gascony
Gaule, f.	gaulois	gauloise	Gaul
Gênes	génois	génoise	Genoa
Genève	genevois	genevoise	Geneva
Grèce, f.	grec	grecque	Greece
Grenoble	grenoblois	grenobloise	Grenoble
Havane, f.	havanais	havanaise	Havana
Havre, Le	havrais	havraise	Havre
Hollande, f.	hollandais	hollandaise	Holland
Hongrie, f.	hongrois	hongroise	Hungary
Hyères	hyérois	hyéroise	Hyères
Inde, f.	indien	indienne	India
Irlande, f.	irlandais	irlandaise	Ireland
Islande, f.	islandais	islandaise	Iceland
Italie, f.	italien	italienne	Italy
Japon, m.	japonais	japonaise	Japan
Java	javanais	javanaise	Java
Jura, m.	jurassien	jurassienne	Jura
Languedoc, m.	languedocien	languedocienne	Languedoc
Liège	liégeois	liégeoise	Liège
Ligurie, f.	ligurien	ligurienne	Liguria
Limoges	limousin	limousine	Limoges
Livonie, f.	livonien	livonienne	Livonia
Livourne	livournais	livournaise	Leghorn
Lorraine, f.	lorrain	lorraine	Lorraine
Lucerne	lucernois	lucernoise	Lucerne
Lyon	lyonnais	lyonnaise	Lyon(s)
Mâcon	mâconnais	mâconnaise	Mâcon
Madrid	madrilène	madrilène	Madrid
Malte, f.	maltais	maltaise	Malta
Maroc, m.	marocain	marocaine	Morocco
Marseille	marseillais	marseillaise	Marseilles
Menton	mentonnais	mentonnaise	Menton(e)
Mexique, m.	mexicain	mexicaine	Mexico
Milan	milanais	milanaise	Milan
Monaco, m.	monégasque	monégasque	Monaco
Moscou	moscovite	moscovite	Moscow

NOUN	ADJECTIVAL FORM *masc. sing.*	*fem. sing.*	MEANING
Nantes	nantais	nantaise	Nantes
Naples	napolitain	napolitaine	Naples
Narbonne	narbonnais	narbonnaise	Narbonne
Navarre, f.	navarrais	navarraise	Navarre
Nevers	nivernais	nivernaise	Nevers
Nice	niçois	niçoise	Nice
Nîmes	nîmois	nîmoise	Nîmes
Normandie, f.	normand	normande	Normandy
Norvège, f.	norvégien	norvégienne	Norway
Oran	oranais	oranaise	Oran
Orient, m.	oriental	orientale	Orient, the East
Orléans	orléanais	orléanaise	Orleans
Ostende	ostendais	ostendaise	Ostend
Palerme	palermitain	palermitaine	Palermo
Paris	parisien	parisienne	Paris
Parme	parmesan	parmesane	Parma
Pau	palois	paloise	Pau
Perche, m.	percheron	percheronne	Perche
Périgord, m.	périgourdin	périgourdine	Périgord
Pérou, m.	péruvien	péruvienne	Peru
Perse, f.	persan	persane	Persia, Iran
Phocée, f.	phocéen	phocéenne	Phocaea
Piémont, m.	piémontais	piémontaise	Piedmont
Pise	pisan	pisane	Pisa
Pologne, f.	polonais	polonaise	Poland
Portugal, m.	portugais	portugaise	Portugal
Provence, f.	provençal	provençale	Provence
Rochelle, La	rochelois	rocheloise	La Rochelle
Rome	romain	romaine	Rome
Rouen	rouennais	rouennaise	Rouen
Roumanie, f.	roumain	roumaine	Rumania
Russie, f.	russe	russe	Russia
Sarlat	sarladais	sarladaise	Sarlat
Savoie, f.	savoyard	savoyarde	Savoy
Saxe, f.	saxon	saxonne	Saxony
Scandinavie, f.	scandinave	scandinave	Scandinavia
Sibérie, f.	sibérien	sibérienne	Siberia
Sicile, f.	sicilien	sicilienne	Sicily
Soissons	soissonnais	soissonnaise	Soissons
Strasbourg	strasbourgeois	strasbourgeoise	Strasbourg
Suède, f.	suédois	suédoise	Sweden
Suisse, f.	suisse	suisse	Switzerland
Toulon	toulonnais	toulonnaise	Toulon
Toulouse	toulousain	toulousaine	Toulouse
Trouville	trouvillois	trouvilloise	Trouville
Turquie, f.	turc	turque	Turkey
Tyrol, m.	tyrolien	tyrolienne	Tyrol
Varsovie, (f.)	varsovien	varsovienne	Warsaw
Vaucluse	vauclusien	vauclusienne	Vaucluse

| NOUN | ADJECTIVAL FORM | | MEANING |
	masc. sing.	*fem. sing.*	
Venise	vénitien	vénitienne	Venice
Vérone (, f.)	véronais	véronaise	Verona
Vichy	vichyssois	vichyssoise	Vichy
Vienne, f.	viennois	viennoise	Vienna; Vienne
Vivarais, m.	vivarais	vivaraise	Vivarais
Viviers	vivarais	vivaraise	Viviers
Westphalie, f.	westphalien	westphalienne	Westphalia

14. VOCABULARY

French - English

abat-jour [abaʒuːr] n.m. inv. in pl. lamp-shade.

aboyeur [abwajœːr] n.m. barker (in kitchen).

abricot [abriko] n.m. apricot.

absence [apsɑ̃ːs] n.f. absence.

absent [apsɑ̃] adj. absent.

s'absenter [sapsɑ̃te] v.refl. to be absent, to absent oneself.

absinthe [apsɛ̃ːt] n.f. absinth(e).

accepter [aksɛpte] v.tr. to accept.

accompagnement [akɔ̃paɲmɑ̃] n.m. accompaniment, trimming.

accompagner [akɔ̃paɲe] v.tr. to accompany (s.o. or sth.); to come with, to go with (s.o.).

accord [akɔːr] n.m. accord, agreement, harmony.

   d'accord! agreed! O.K.!

accueil [akœːj] n.m. welcome, reception.

accueillir [akœjiːr] v.tr. to welcome, to receive.

achat [aʃa] n.m. purchase.

acheter [aʃte] v.tr. to buy, to purchase.

acier [asje] n.m. steel.

acquit [aki] n.m. receipt.

acquitter [akite] v.tr. to receipt.

   acquitter l'addition to receipt the bill.

addition [ad(d)isjɔ̃] n.f. bill.

additionner [ad(d)isjɔne] v.tr. to add up.

aéré [aere] adj. aerated.

aérer [aere] v.tr. to aerate.

agiter [aʒite] v.tr. to shake.

agneau, -eaux [aɲo] n.m. lamb.

aiglefin [ɛgləfɛ̃] n.m. haddock.

aigre [ɛːgr] adj. sour, sharp.

aigrefin [ɛgrəfɛ̃] n.m. haddock.

aigu, -uë [egy] adj. sharp, pointed.

aiguillette [eguijɛt] n.f. slice, strip (esp. of poultry flesh).

aiguiser [eg(ч)ize] v.tr. to sharpen.

ail [aːj] n.m. garlic.

aile [ɛl] n.f. wing.

aileron [ɛlrɔ̃] n.m. winglet.

ailloli [ajɔli] n.m. pounded garlic with olive oil.

ajouter [aʒute] v.tr. to add.

   ajouter qch. à qch. to add something to something.

alcool [alkɔl] n.m. alcohol, spirit.

allocation [alɔkasjɔ̃] n.f. allocation.

   allocation des sièges seating arrangement.

   allocation des places seating arrangement.

allumer [alyme] v.tr. to light (lamp, fire, etc.).

   v.i. to switch on the light(s).

allumette [alymɛt] n.f. (lucifer) match.

alouette [alwɛt] n.f. lark.

aloyau, -aux (alwajo) n.m. sirloin (of beef).

amande [amɑ̃ːd] n.f. almond.

amer, -ère [amɛːr] adj. bitter. n.m. bitter(s).

ampoule [ɑ̃pul] n.f. electric-light bulb.

ananas [anana (ːs)] n.m. pineapple.

anchois [ɑ̃ʃwa] n.m. anchovy.

   anchois de Norvège sprat.

ancien, -ienne [ɑ̃sjɛ̃, -jɛn] adj. ancient; former, late.

anciennement [ɑ̃sjɛnmɑ̃] adv. formerly.

ancienneté [ɑ̃sjɛnte] n.f. seniority, length of service.

andouille [ɑ̃duːj] n.f. chitterlings (made into sausages).

andouillette [ɑ̃dujɛt] n.f. small chitterling-sausage.

anguille [ɑ̃giːj] n.f. eel.

anisette [anizɛt] n.f. anisette-cordial.

annoncer [anɔ̃se] v.tr. to announce.

annonceur des toasts [anɔ̃sœːr de tɔst] n.m. toast-master.

annulation [an(n)ylasjɔ̃] n.f. cancellation.

annuler [an(n)yle] v.tr. to cancel.

août [u] n.m. August.

apéritif [aperitif] n.m. (alcoholic) appetizer.

appeler [aple] v.tr. to call.

appétit [apeti] n.m. appetite.
Bon appétit! Enjoy your food!

apporter [apɔrte] v.tr. to bring.

approcher [aprɔʃe] v.tr. to bring near, to draw near.
s'approcher (de) v.refl. to approach.

après [aprɛ] prep. after.
adv. afterwards.
après que conj. after.

après-midi [aprɛmidi] n.m. or f.inv. in pl. afternoon.

arête [arɛt] n.f. (fish-)bone.

argent [arʒɑ̃] n.m. money; silver.
argent massif solid silver.
argent orfévré silver plate.

argenterie [arʒɑ̃tri] n.f. (silver-) plate.

aromate [arɔmat] n.m. aromatic; spice.

aromatique [arɔmatik] adj. aromatic.

arome [aroːm] n.m. aroma.

artichaut [artiʃo] n.m. artichoke.

article [artikl] n.m. article, item, commodity.
articles de verre glassware.

asperge [aspɛrʒ] n.f. asparagus.

aspic [aspik] n.m. aspic(-jelly).

assaisonnement [asɛzɔnmɑ̃] n.m. seasoning.

assaisonner [asɛzɔne] v.tr. to season.

s'asseoir [saswaːr] v.refl. to sit (down).
Asseyez-vous, je vous en prie! Please sit down; pray be seated.

assez [ase] adv. enough, sufficiently; rather, fairly.
assez de+noun enough.
assez de vin enough wine.

assiette [asjɛt] n.f. plate.
petite assiette small plate, side plate.
assiette anglaise plate of assorted cold meats.
assiette à potage soup-plate.
assiette à salade salad-plate.
assiette creuse soup-plate.
assiette plate meat-plate.

assis [asi] adj. seated, sitting.

attendre [atɑ̃ːdr] v.tr. & i. to wait, to wait for.

attente [atɑ̃ːt] n.f. wait.

attention [atɑ̃sjɔ̃] n.f. attention.
faire attention à to pay attention to, to take notice of.

auberge [obɛrʒ] n.f. inn.

aubergine [obɛrʒin] n.f. egg-plant.

aujourd'hui [oʒurdɥi] adv. today.

auparavant [oparavɑ̃] adv. before, beforehand, previously.

automne [otɔn] n.m. autumn.

autre [oːtr] adj. & pron. other.

autrement [otrəmɑ̃] adv. otherwise.

avancement [avɑ̃smɑ̃] n.m. promotion, advancement.
avancement par ancienneté promotion by seniority.
avancement par choix promotion by selection.

avant [avɑ̃] prep. before.

avec [avɛk] prep. with.

avis [avi] n.m. advice; notice.

avoir [avwaːr] v.tr to have.
avoir faim to be hungry.
avoir soif to be thirsty.

avril [avril] n.m. April.

balai [balɛ] n.m. broom.

balayer [balɛje] v.tr. to sweep, to sweep out, to sweep up.

ballon [balɔ̃] n.m. Napoleon brandy-glass.

ballottine [balɔtin] n.f. piece of boned, rolled and tied meat.

banane [banan] n.f. banana.

banquet [bɑ̃kɛ] n.m. banquet.

bar [baːr] n.m. bar.

barbue [barby] n.f. brill.

barman [barman] n.m. barman.

barquette [barkɛt] n.f. boat-shaped pastry-case.

battre [batr] v.tr. to beat.

beau [bo], **bel** [bɛl] (before masc. nouns beginning with a vowel or an unaspirated h), f. **belle** [bɛl], pl. **beaux** [bo], f. **belles** [bɛl], adj. beautiful, handsome, fine.

beaucoup [boku] n.m.inv. much, a lot.
adv. much.
beaucoup de a lot of.
beaucoup d'argent a lot of money.

bécasse [bekas] n.f. woodcock.
bécasse de mer oyster-catcher.

bécassine [bekasin] n.f. snipe.

beignet [bεɲε] n.m. fritter.

Bénédictine [benediktin] n.f. Benedictine liqueur.

bénéfice [benefis] n.m. profit.

besoin [bəzwɛ̃] n.m. need.
  avoir besoin de to have need of, to need.

beurre [bœ:r] n.m. butter.
  beurre d'anchois anchovy butter.
  beurre noir butter browned by heat.
  beurre noisette brown butter.

beurrée [bœre] n.f. slice of bread and butter.

beurrer [bœre] v.tr. to butter.

beurret [bœrε] n.m. butter pat.

bident [bidã] n.m. carving-fork.

bien [bjɛ̃] adv. well; very.
  ou bien or else.
  bien cuit well cooked, well done.

bientôt [bjɛ̃to] adv. soon.

bière [bjε:r] n.f. beer.
  bière blonde light beer, pale ale.
  bière blonde allemande lager.
  bière brune dark beer.

bifteck [biftεk] n.m. beefsteak.

bigarade [bigarad] n.f. Seville orange, bitter orange.

bilingue [bilɛ̃:g] adj. bilingual.

billet [bijε] n.m. ticket.
  billet de banque bank-note.

biscuit [biskɥi] n.m. biscuit.

bisque [bisk] n.f. thick shell-fish soup.

blanc, blanche [blã, blã:ʃ] adj. white.
  blanc n.m. white; blank, space.
  blanc d'œuf white of egg.
  un blanc d'œuf the white of an egg.

bleu [blø] adj. blue.
  au bleu (steak) sealed but hardly cooked, almost raw.
  au bleu (trout) cooked by a process consisting of first sealing the fish in acid liquid to give it a blue colour.

blond [blɔ̃] adj. blond; pale, light (in colour).

bock [bɔk] n.m. beer-glass; small glass of beer.

bœuf, pl. **bœufs** [bœf, bø] n.m. ox; beef.

boire [bwa:r] v.tr. to drink.

bois [bwɑ] n.m. wood.

boisson [bwasɔ̃] n.f. drink, beverage.
  boisson sucrée soft drink.

boîte [bwat] n.f. box; tin, can.
  boîte de nuit night-club.

bol [bɔl] n.m. bowl, basin.

bolet [bɔlε] n.m. boletus.

bombe glacée [bɔ̃:b glase] n.f. ice pudding.

bon, bonne [bɔ̃, bɔn] adj. good.

bon [bɔ̃] n.m. voucher, chit.
  bon de commande order check.

bonne-bouche [bɔnbuʃ] n.f. titbit, savoury.

bord [bɔr] n.m. edge; border, hem; brim, rim.

bordure [bɔrdy:r] n.f. edging, border; surround.

bouchée [buʃe] n.f. mouthful; small patty.
  bouchée à la reine vol-au-vent of chicken.

bouchon [buʃɔ̃] n.m. cork (of bottle).

bouillabaisse [bujabεs] n.f. Mediterranean fish-stew.

bouquet [bukε] n.m. bunch of flowers, bouquet.

bouquetier [buktje] n.m. flower vase.

bout [bu] n.m. end (in space), extremity.

bouteille [butε:j] n.f. bottle.

braisé [brεse] adj. braised.

braiser [brεse] v.tr. to braise.

brandade [brɑ̃dad] n.f. cod pounded with oil, garlic and cream.

brème [brεm] n.f. bream.
  brème de mer sea-tench.

breuvage [brœva:ʒ] n.m. beverage, drink.

brigade [brigad] n.f. brigade, entire personnel (of kitchen, restaurant).

brioche [brioʃ] n.f. brioche.

briquet [brikε] n.m. cigarette-lighter.

broche [brɔʃ] n.f. spit.
  à la broche on the spit.

brochet [brɔʃε] n.m. pike.

brochette [brɔʃεt] n.f. skewer.

brosse [brɔs] n.f. brush.

brosser [brɔse] v.tr. to brush.

brouillé [bruje] adj. scrambled.

brouiller [bruje] v.tr. to scramble.

brun, brune [brœ̃, bryn) adj. brown.

buffet [byfε] n.m. sideboard; buffet.
  buffet froid cold buffet.

bureau, -eaux [byro] n.m. office.

cabillaud [kabijo] n.m. fresh cod.
cacahouette [kakawɛt], **cacahuète** [kakaɥɛt] n.f. peanut.
cachir [kaʃir] adj. inv. Kosher.
café [kafe] n.m. coffee; café.
  café au lait coffee with milk; white coffee.
  café crème coffee with cream.
  café noir black coffee.
  café-filtre coffee made with a filter.
cafetière [kaftjɛːr] n.f. coffee-pot.
caille [kaːj] n.f. quail.
caisse [kɛs] n.f. cash-desk; cash-department; packing-case.
  caisse enregistreuse cash-register.
caissier, -ière [kɛsje, -jɛːr] n. cashier.
calvados [kalvadɔs] n.m. apple-brandy.
canapé [kanape] n.m. slice of bread fried in butter.
canard [kanaːr] n.m. duck; drake.
  canard sauvage wild duck.
candélabre [kɑ̃dɛlaːbr] n.m. candelabrum.
cane [kan] n.f. (female) duck.
caneton [kantɔ̃] n.m. duckling.
cantaloup [kɑ̃talu] n.m. cantaloup melon.
câpre [kaːpr] n.f. caper.
capucine [kapysin] n.f. nasturtium.
car [kaːr] conj. for, because.
carafe [karaf] n.f. decanter; water-jug.
caramel [karamɛl] n.m. caramel, burnt sugar.
caraméliser [karamelize] v.tr. to caramelize (sugar).
carotte [karɔt] n.f. carrot.
carpe [karp] n.f. carp.
carré [kare] adj. square.
  n.m. square.
  carré d'agneau best end of lamb.
carrelage [karlaːʒ] n.m. tiling; tiled floor.
carrelet [karlɛ] n.m. dab; plaice.
carte [kart] n.f. menu, bill of fare.
  à la carte à la carte (as distinct from table d'hôte).
  carte du jour menu for the day.
  carte des vins wine-list.
casier [kazje] n.m. set of pigeon-holes.
  casier à bouteilles bin, bottle-rack.

casse [kaːs] n.f. breakage, damage; breakages.
casse-noisette(s) [kasnwazɛt] n.m. inv. in pl. pair of nut-crackers.
casser [kase] v.tr. to break; to crack.
casserole [kasrɔl] n.f. saucepan; stew.
cassis [kasi(s)] n.m. blackcurrant; blackcurrant cordial or liqueur.
cassonade [kasɔnad] n.f. brown sugar.
  cassonade en gros cristaux Demerara sugar.
cave [kaːv] n.f. cellar.
céleri [selri] n.m. celery.
  morceau de céleri stick of celery.
cendre [sãːdr] n.f. ash.
cendrier [sãdrie] n.m. ash-tray.
centilitre [sãtilitr] n.m. centilitre.
cèpe [sɛp] n.m. flap mushroom.
cerise [s(ə)riːz] n.f. cherry.
cerneau, -eaux [sɛrno] n.m. green walnut.
  cerneau confit au vinaigre pickled walnut.
cervelle [sɛrvɛl] n.f. brain(s).
  cervelle de veau calves' brains.
chair [ʃɛːr] n.f. flesh.
chaise [ʃɛːz] n.f. chair.
chaleur [ʃalœːr] n.f. heat.
chambré [ʃãbre] adj. at room-temperature.
chambrer [ʃãbre] v.tr. to bring to room-temperature.
champagne [ʃãpaɲ] n.m. champagne.
  champagne mousseux sparkling champagne.
  champagne non mousseux still champagne.
  fine champagne n.f. liqueur brandy (from the Champagne de Saintonges).
champignon [ʃãpiɲɔ̃] n.m. mushroom.
chandelle [ʃãdɛl] n.f. candle.
chanterelle [ʃãtrɛl] n.f. cantharellus mushroom.
chapelure [ʃaplyːr] n.f. bread-crumbs (for frying, etc.).
chapon [ʃapɔ̃] n.m. capon.
charmant [ʃarmã] adj. charming.
charme [ʃarm] n.m. charm.
châtaigne [ʃatɛɲ] n.f. (sweet) French chestnut.

châteaubriand [ʃɑtobriɑ̃]   n.m. grilled steak.

chaud [ʃo] adj. hot.

chaud-froid [ʃofrwa] n.m. filleted poultry, etc., served cold in jelly or sauce.

chauffage [ʃofa:ʒ] n.m. heating.
 chauffage central   central heating.

chauffer [ʃofe] v.tr. to heat.

chaussette [ʃosɛt] n.f. sock.

chaussure [ʃosy:r] n.f. shoe.

chef de rang [ʃɛfdərɑ̃] n.m. station waiter.

chef de vins [ʃɛfdəvɛ̃] n.m. head wine-waiter; sommelier.

chemise [ʃmi:z] n.f. shirt.

chèque [ʃɛk] n.m. cheque.

cher, chère [ʃɛ:r] adj. dear, expensive.

chercher [ʃɛrʃe] v.tr. to look for, to seek.

chevesne [ʃ(ə)vɛ:n] n.m. chub.

chevreuil [ʃəvrœ:j] n.m. roebuck.

chez [ʃe] prep. at the house of.
 chez Jean   at John's house.

chicorée [ʃikɔre] n.f. endive; chicory.

chipolata [ʃipɔlata] n.f. small sausage; onion stew.

chocolat [ʃɔkɔla] n.m. chocolate.

choisir [ʃwazi:r] v.tr. to choose.

choix [ʃwa] n.m. choice.
 au choix   according to choice; all at the same price.
 de choix   choice (adj.), of best quality.

chou, -oux [ʃu] n.m. cabbage.
 chou de Bruxelles   Brussels sprout.
 chou de mer   seakale.
 chou frisé   (curly) kale

choucroute [ʃukrut] n.f. sauerkraut, pickled cabbage.

chou-fleur, choux-fleurs [ʃuflœ:r] n.m. cauliflower.

chou-navet, choux-navets [ʃunavɛ] n.m. Swedish turnip, swede.

chou-rave, choux-raves [ʃura:v] n.m. kohl-rabi, turnip cabbage.

ciboule [sibul] n.f. Welsh onion; spring onion.

ciboulette [sibulɛt] n.f. chive.

cidre [sidr] n.m. cider.

cigare [siga:r] n.m. cigar.

cigarette [sigarɛt] n.f. cigarette.

cirage [sira:ʒ] n.m. waxing, polishing; (wax-)polish.

cirer [sire] v.tr. to wax, to polish (floors, etc.).

ciseaux [sizo] n.m.pl. scissors.
 ciseaux à couper les raisins   grape-scissors.

citron [sitrɔ̃] n.m. lemon.

citronnade [sitrɔnad] n.f. lemonade.

civet de lièvre [sivɛdəljɛ:vr] n.m. jugged hare.

clair [klɛ:r] adj. clear; light (in colour).

clarifier [klarifje] to clarify.

classe [klɑ:s] n.f. class.

client [kliɑ̃] n.m. client, customer.

cliente [kliɑ̃t] n.f. lady customer.

clientèle [kliɑ̃tɛl] n.f. clientele; goodwill (of premises).

clôture [kloty:r] n.f. closing.

clou de girofle [kludəʒirɔfl] n.m. clove.

cochon de lait [kɔʃɔ̃dəlɛ] n.m. sucking-pig.

cocktail [kɔktɛl] n.m. cocktail; cocktail-party.

cocotte [kɔkɔt] n.f. cocotte.

coeur [kœ:r] n.m. heart.
 coeur de laitue   lettuce-heart.
 coeur de romaine   cos lettuce-heart.

coing [kwɛ̃] n.m. quince.

col [kɔl] n.m. collar.
 col cassé   stiff collar.

combien [kɔ̃bjɛ̃] adv. how much.
 combien de   how many, how much.
 combien de couverts?   how many covers?

commande [kɔmɑ̃:d] n.f. order (from customer to waiter).

commander [kɔmɑ̃de] v.tr. to order (food, drink).

commencer [kɔmɑ̃se] v.tr. & i. to begin.

comment [kɔmɑ̃] adv. how.

commerce [kɔmɛrs] n.m. trade; (a) business.

commis [kɔmi] n.m. clerk; assistant.
 commis de rang   assistant station waiter.
 commis de vins   wine-waiter.
 commis débarrasseur   clearing-assistant.

commode [kɔmɔd] adj. convenient, comfortable.

complet [kɔ̃plɛ] adj. complete; full (restaurant).
 n.m. suit (of clothes).

compote [kɔ̃pɔt] n.f. compote of fruit, stewed fruit.

compotier [kɔ̃pɔtje] n.m. fruit-dish; compote-dish.

comprendre [kɔ̃prɑ̃:dr] v.tr. to understand; to comprise.

compris, -ise [kɔ̃pri,-iz] adj. understood; included.

  service compris service-charge included.

comptoir [kɔ̃twa:r] n.m. counter.

concombre [kɔ̃kɔ̃:br] n.m. cucumber.

confiserie [kɔ̃fizri] n.f. confectionery.

confiture [kɔ̃fity:r] n.f. jam.

confiturier [kɔ̃fityrje] n.m. jam-dish; jam-pot.

congre [kɔ̃:gr] n.m. conger eel.

connaissance [kɔnɛsɑ̃:s] n.f. knowledge, acquaintance; acquaintance (a person).

connaisseur [kɔnɛsœ:r] n.m. connoisseur, expert.

connaître [kɔnɛ:tr] v.tr. to know (to be acquainted with).

consommateur [kɔ̃sɔmatœ:r] n.m. consumer.

consommation [kɔ̃sɔmasjɔ̃] n.f. consuming, consumption; drink, liquid refreshment.

consommé [kɔ̃sɔme] n.m. clear soup.

contenant [kɔ̃tnɑ̃] n.m. container, receptacle.

contenir [kɔ̃tni:r] v.tr. to contain, to hold.

contenu [kɔ̃tny] n.m. content, contents.

contre [kɔ̃:tr] prep. against.

contrefilet [kɔ̃tr(ə)filɛ] n.m. boned sirloin of beef.

contrôle [kɔ̃tro:l] n.m. control, direction; control, checking.

  contrôle de service duty-roster.

copie [kɔpi] n.f. copy (from original, not copy of book, etc.).

copier [kɔpje] v.tr. to copy.

coq de bruyère [kɔkdəbryjɛ:r] n.m. black game.

coque [kɔk] n.f. shell (of egg).

  un œuf à la coque a soft-boiled egg.

coquillage [kɔkija:ʒ] n.m. shell-fish; empty shell.

coquille [kɔki:j] n.f. shell (of oyster, snail, etc.).

coquille (de) Saint-Jacques scollop; scollop-shell.

corbeille [kɔrbɛ:j] n.f. (open) basket.

  corbeille à pain bread-basket.

cordial [kɔrdjal] n.m. cordial.

cornichon [kɔrniʃɔ̃] n.m. gherkin.

côte [ko:t] n.f. rib.

côté [kote] n.m. side.

  à côté de beside, next to.

côtelette [kotlɛt] n.f. cutlet.

  côtelette de porc pork chop.

couleur [kulœr] n.f. colour.

coup [ku] n.m. blow; stroke.

  coup de fil telephone call.

coupe [kup] n.f. cup.

  coupe à champagne champagne glass

coupe-cigares [kupsiga:r] n.m. inv. in pl. cigar-cutter.

couper [kupe] v.tr. to cut.

courgette [kurʒɛt] n.f. vegetable marrow.

courtois [kurtwa] adj. courteous.

courtoisie [kurtwazi] n.f. courtesy.

couteau [kuto] n.m. knife.

  couteau à canneler fluting-knife, channelling-knife.

  couteau à découper carving-knife.

  couteau à dessert dessert-knife.

  couteau à huîtres oyster-knife.

  couteau à poisson fish-knife.

  couteau de table table-knife, meat-knife.

coutellerie [kutɛlri] nf. cutlery.

couvercle [kuvɛrkl] n.m. lid, cover.

couvert [kuvɛ:r] n.m. fork and spoon, etc.; cover, place at table; cover-charge.

  adj. covered.

couvrir [kuvri:r] v.tr. to cover.

crabe [kra:b] n.m. crab.

cravate [kravat] n.f. tie, necktie.

crayon [krɛjɔ̃] n.m. pencil.

crème [krɛm] n.f. cream.

  à la crème with cream.

  crème glacée ice-cream.

  crème de menthe peppermint liqueur.

crêpe [krɛ:p] n.f. pancake.

crépinette [krepinɛt] n.f. flat sausage (wrapped in caul).

cresson [krɛsɔ̃] n.m. cress.

  cresson de fontaine watercress.

creux, -euse [krø, ø:z] adj. hollow.

  creux n.m. hollow.

crevette [krəvɛt] n.f.
  crevette grise shrimp.
  crevette rose, crevette rouge prawn.
cristal, -aux [kristal, -o] n.m. crystal; crystal glass.
croissant [krwasã] n.m. horseshoe milk-roll; crescent roll.
cromesquis [krɔmɛski] n.m. kromesky.
croquembouche [krɔkãbuʃ] n.m. crisp or hard entremets.
crosne [kro:n] n.m. Chinese artichoke.
croûte [krut] n.f. crust; slice of toast, etc., for canapé.
  croûte au pot soup with toast or sippets in it.
  croûte de pâte feuilletée puff-pastry case.
croûton [krut5] n.m. piece of crust; sippet.
cru [kry] adj. raw, uncooked.
cru, crû [kry] n.m. vine-growing locality.
cruchon [kryʃ5] n.m. small jug.
crustacé [krystase] n.m. crustacean, shell-fish.
cuiller, cuillère [kyjɛ:r, kyijɛ:r] n.f. spoon.
  cuiller à bouche soup-spoon; table-spoon.
  cuiller à café coffee-spoon.
  cuiller à dessert, cuiller à entremets dessert-spoon.
  cuiller à moutarde mustard-spoon.
  cuiller à œufs egg-spoon.
  cuiller à soupe soup-spoon.
  cuiller à thé tea-spoon.
cuillerée [kyjre, kyijre] n.f. spoonful.
  cuillerée à bouche tablespoonful.
cuir [kyi:r] n.m. leather.
cuire [kyi:r] v. tr. & i. to cook.
cuisine [kyizin] n.f. kitchen; high-class cookery.
cuisse [kyis] n.f.
  cuisse de poulet chicken leg.
cuisseau [kyiso] n.m. fillet of the leg (of veal).
cuisson [kyis5] n.f. cooking, baking; cooking-liquor.
  jus de cuisson cooking-juice, cooking-liquor.
  temps de cuisson cooking-time.

cuissot [kyiso] n.m. leg (of pork); haunch (of venison).
cuit [kyi] adj. cooked.
  cuit à point medium (of steak).
  pas assez cuit underdone, i.e. not cooked enough.
  trop cuit overdone, i.e. cooked too much.
dans [dã] prep. in, inside.
darne [darn] n.f. thick slice (of fish), including the central bone, and thinner than a **tronçon**, q.v.
date [dat] n.f. date (day)
datte [dat] n.f. date (fruit).
daube [do:b] n.f. stew of meat steamed in red wine in a closed container.
dé [de] n.m. die; die-shaped piece of vegetable, etc.
débarrasser [debarase] v.tr. to clear (table, etc.).
débarrasseur [debarasœ:r] n.m. clearing-assistant; learner in the restaurant.
déborder [debɔrde] v.i. to overflow; to boil over.
déboucher [debuʃe] v.tr. to uncork.
décantation [dekãtasj5] n.f. decanting.
décanter [dekãte] v.tr. to decant.
décapsulateur [dekapsylatœ:r] n.m. crown-cork bottle-opener.
décembre [desã:br] n.m. December.
décor [dekɔ:r] n.m. décor.
décorer [dekɔre] v.tr. to decorate.
découpage [dekupa:ʒ] n.m. cutting up; carving.
découper [dekupe] v.tr. to cut up; to carve.
découvrir [dekuvri:r] v.tr. to uncover; to discover.
défaire [defɛ:r] v.tr. to undo; to dismantle.
dégustation [degystasj5] n.f. tasting.
déguster [degyste] v.tr. to taste, to sample; to sip.
déjà [deʒa] adv. already.
déjeuner [deʒœne] v.i. to lunch, to take luncheon; to breakfast. n.m. lunch(eon).
  le petit déjeuner breakfast.
délicat [delika] adj. delicate.
délicieux, -euse [delisjø, -ø:z] adj. delicious; delightful.

demande [dəmã:d] n.f. request.
une demande d'emploi a request for work.

demander [d(ə)mãde] v.tr. to ask; to ask for; to enquire.

demi [dəmi] adj. half.
demi-bouteille n.f. half-bottle.
demi-heure n.f. half-hour.
demi-homard n.f. half-lobster.
demi-litre n.m. half-litre.
demi-tasse n.f. small coffee-cup; half a cup.

dépenser [depãse] v.tr. to spend (money).

dépouiller [depuje] v.tr. to skin (eel, game, etc.).

description [dɛscripsjɔ̃] n.f. description.

désosser [dezose] v.tr. to bone (fish, meat).

dessert [desɛ:r] n.m. dessert.
vin de dessert dessert wine.

desservir [desɛrvi:r] v.tr. to clear (table).
v.i. to clear away.

détacher [detaʃe] v.tr. to detach; to remove stains, spots from.

détacheur [detaʃœ:r] n.m. stain-remover.

diablé [djable] adj. devilled.

diabler [djable] v.tr. to devil.

digérer [diʒere] v.tr. to digest.

digestif [diʒestif] n.m. digestive drink (after meal).

dimanche [dimã:ʃ] n.m. Sunday.

dimension [dimãsjɔ̃] n.f. size.

dinde [dɛ̃:d] n.f. turkey-hen.

dindon [dɛ̃dɔ̃] n.m. turkey-cock.

dindonneau [dɛ̃dɔno] n.m. young turkey.

dîner [dine] v.i. to dine, to have dinner.
n.m. dinner.

dire [di:r] v.tr. to say, to tell.

directeur [dirɛktœ:r] n.m. director, manager.

direction [dirɛksjɔ̃] n.f. direction, management; managing body.

directrice [dirɛktris] n.f. (lady) director; manageress.

discours [disku:r] n.m. speech, address.

divers [divɛ:r] adj. pl. various.

doigt [dwa] n.m. finger.

donner [dɔne] v.tr. to give.
donner un coup de fil to make a telephone-call.

doux, douce [du, dus] adj. sweet; soft.

dresser [drɛse] v.tr. to set up; to dish up; to arrange.

drogue [drɔg] n.f. drug.

droit, droite [drwa, drwat] adj. straight; right (side, etc.).
droit n.m. right, privilege.
à droite to the right, on the right.

eau [o] n.f. water.
eau de seltz soda-water.
eau minérale mineral-water.

eau-de-vie [odvi] n.f. spirits; brandy.
eau-de-vie de Dantzig Goldwasser.

écaille [ekɑ:j] n.f. scale (of fish).

écailler [ekɑje] v.tr. to scale, to remove scales from.

échalote [eʃalɔt] n.f. shallot.

éclairage [eklɛra:ʒ] n.m. lighting, illumination.

éclairer [eklɛre] v.tr. to light, to illuminate.

école [ekɔl] n.f. school.
école hôtelière hotel school.

écorce [ekɔrs] n.f. rind, peel.
écorce d'orange orange-peel.

écouter [ekute] v.tr. to listen to.

écraser [ekrɑze] v.tr. to crush, to squash.

écrevisse [ekrəvis] n.f. (freshwater) crayfish.

écrire [ekri:r] v.tr. to write.

élargir [elarʒi:r] v.tr. to enlarge, to expand.

électricité [elɛktrisite] n.f. electricity.

électrique [elɛktrik] adj. electric.

emploi [ãplwa] n.m. employment, occupation.

employé, -ée [ãplwaje] n. employee.

emporter [ãpɔrte] v.tr. to take away, to carry away.

endive [ãdi:v] n.f. chicory.

enfin [ãfɛ̃] adv. at last.

enlever [ãləve] v.tr. to remove, to take away.

ensemble [ãsã:bl] adv. together.

ensuite [ãsɥit] adv. afterwards, next.

entasser [ãtase] v.tr. to heap up, to pile up.

entendre [ãtã:dr] v.tr. to hear.

entendu! [ãtãdy] int. understood! all right! O.K.!
bien entendu naturally, of course.

entier, -ière [ãtje, -jɛːr]   adj. whole, entire.

entourer [ãture] v.tr. to surround.

entre [ãːtr] prep. between.

entrecôte [ãtrəkoːt]   n.m. or f. steak cut from the ribs (of beef).

entrée [ãtre] n.f. entrance; entry, admission; dish usually served between fish and joint.

entremets [ãtrəmɛ] n.m. sweet course.

entrer [ãtre] v.i. to enter, to come in, to go in.
  entrer dans une salle to go into a room.

épais, -aisse [epɛ, -ɛːs] adj. thick.

épaisseur [epɛsœːr] n.f. thickness.

épaule [epoːl] n.f. shoulder.

éperlan [epɛrlã] n.m. smelt.

épice [epis] n.f. spice.

épinard [epinaːr] n.m. spinach.
  épinards en branches, épinards en feuilles leaf spinach.

équilibre [ekilibr] n.m. equilibrium, balance.

équilibré [ekilibre] adj. balanced.
  bien équilibré well-balanced.

équilibrer [ekilibre] v.tr. to balance.

erreur [ɛrœːr] n.f. error, mistake.

escalier [ɛskalje] n.m. staircase; flight of stairs.

escalope [ɛskalɔp] n.f. scollop (of veal).

escargot (ɛskargo] n.m. snail.

escargotière [ɛskargɔtjɛːr] n.f. snail-dish.

esprot [ɛspro] n.m. sprat.

essai [ɛsɛ] n.m. trial, test; sample, taste (of wine, etc.).

essayer [ɛsɛje] v.tr. to test, to try; to taste (wine).
  essayer de faire quelque chose to try to do something.

essuyer [ɛsɥije] v.tr. to wipe; to wipe dry; to wipe clean.

estragon [ɛstragɔ̃] n.m. tarragon.

esturgeon [ɛstyrʒɔ̃] n.m. sturgeon.

établir [etabliːr] v.tr. to establish, to set up.

établissement [etablismã] n.m. establishment; business; premises.

été [ete] n.m. summer.

éteindre [etɛ̃ːdr] v.tr. to extinguish, to put out; to switch off; to turn off.
  v.i. to switch off the lights.

Voulez-vous éteindre? Will you switch out the lights?

étiquette [etikɛt] n.f. label, tag; etiquette, ceremony.

étranger, -ère [etrãʒe, -ɛːr] adj. foreign.
  n. foreigner.

être [ɛːtr] v.i. to be.

étudiant, -iante [etydjã, -ãːt] n. student.
  étudiant hôtelier (male) catering student.
  étudiante hôtelière (female) catering student.

étuvé [etyve] adj. stewed; steamed.

étuver [etyve] v.tr. to stew; to steam.

extincteur d'incendie [ɛkstɛ̃ktœːrdɛ̃sãdi] n.m. fire-extinguisher.

facile [fasil] adj. easy.

façon [fasɔ̃] n.f. manner, way.

faim [fɛ̃] n.f. hunger.
  avoir faim to be hungry.

faire [fɛːr] v.tr. to do; to make.

faisan [fəzã] n.m. pheasant.

faisandé [fəzãde] adj. high (meat), well hung.

faisander [fəzãde] v.tr. to hang (meat).
  se faisander to get high.

famille [famiːj] n.f. family.

farce [fars] n.f. stuffing, forcemeat.

farci [farsi] adj. stuffed.

farcir [farsiːr] v.tr. to stuff.

fauteuil [fotœːj] n.m. arm-chair; easy chair.

faux-col [fokɔl] n.m. (detached) collar.

féerique [ferik] adj. charming, enchanting; spectacular.

fenêtre [fənɛːtr] n.f. window.

fenouil [fənuːj] n.m. fennel.

fermé [fɛrme] adj. closed.

fermer [fɛrme] v.tr. to close.

fermeture [fɛrmətyːr] n.f. closing.
  heure de fermeture closing-time.

festin [fɛstɛ̃] n.m. banquet.

fête [fɛːt] n.f. feast; celebration, party.

feu [fø] n.m. fire (as distinct from **incendie**, q.v.); light (for a cigarette, etc.).
  donner du feu to give a light.

feuille [fœːj] n.f. leaf.
  feuille de papier sheet of paper.

fève [fɛːv] n.f. bean.
  fève de(s) marais broad bean.

février [fevrie] n.m. February.

ficelle [fisɛl] n.f. string.

figue [fig] n.f. fig.

filet [filɛ] n.m. thread; fillet; net.

fin [fɛ̃] n.f. conclusion; end (in time).

fin, fine [fɛ̃, fin] adj. fine, choice.
  fine, n.f. fine champagne (q.v.).
  fines herbes [fin(ə)zɛrb] n.f.p. mixed herbs.

finir [fini:r] v.tr. & i. to finish; to end.

five-o'clock [fivɔklɔk] n.m. afternoon tea.

flageolet [flaʒɔlɛ] n.m. small kidney bean.

flamber [flɑ̃be] v.tr. to flame (pancake, etc.).

flamme [flɑ:m] n.f. flame.

flan [flɑ̃] n.m. open tart (containing fruit, etc.).

flet [flɛ] n.m. flounder.

flétan [fletɑ̃] n.m. halibut.

fleur [flœ:r] n.f. flower.

flûte [fly:t] flute, flute-shaped champagne-glass.

foie [fwa] n.m. liver.
  foie de volaille chicken's liver.
  foie gras fattened liver (of goose).

fois [fwa] n.f. time (occasion).
  une fois once.
  deux fois twice.

fond [fɔ̃] n.m. bottom, base; back, furthest point.
  fond d'artichaut artichoke-base.

fondre [fɔ̃:dr] v.tr. & i. to melt.

fonds [fɔ̃] n.m. funds; (kitchen-) stock.

fondu [fɔ̃dy] adj. melted.

formation [fɔrmasjɔ̃] n.f. formation; making up (of programme).

forme [fɔ:rm] n.f. form, shape.

former [fɔrme] v.tr. to form, to shape.

fort [fɔ:r] adj. strong; loud.
  adv. strongly; loudly.

fouet [fwɛ] n.m. whip, whisk.
  fouet à champagne swizzle-stick.

fouetter [fwɛte] v.tr. to whip, to whisk.

four [fu:r] n.m. oven.
  au four (cooked) in the oven.
  petits fours small cakes, fancy cakes.

fourchette [furʃɛt] n.f. fork; dinner-fork.
  fourchette à découper carving-fork.
  fourchette à escargots snail-fork.

fourchette à homard lobster-fork.

fourchette à huîtres oyster-fork.

fourchette à poisson fish-fork.

frais, fraîche [frɛ, frɛʃ] adj. fresh; cool.

frais [frɛ] n.m.pl. expense(s).
  à mes frais at my expense.

fraise [frɛ:z] n.f. strawberry.
  fraise des bois wood strawberry, wild strawberry.

framboise [frɑ̃bwa:z] n.f. raspberry.

franc [frɑ̃] n.m. franc.
  le nouveau franc français the new French franc.

frappé [frape] adj. iced, chilled.

frappe-cocktail [frapkɔktɛl] n.m. cocktail-shaker.

frapper [frape] v.tr. to strike; to ice, to chill.
  frapper le vin to chill the wine, to put the wine on ice.

fréquenter [frekɑ̃te] v.tr. to frequent; to patronize.

friandise [friɑ̃di:z] n.f. small sweet delicacy.

frire [fri:r] v.tr. & i. to fry.

frit [fri] adj. fried.

friture [frity:r] n.f. frying; fried food; small fried fish, e.g. whitebait.

froid [frwa] adj. & n.m. cold.
  avoir froid to be cold (of a person).

fromage [frɔma:ʒ] n.m. cheese.

frotter [frɔte] v.tr. to rub.
  frotter une allumette to strike a match.

frugal [frygal] adj. frugal.

fruit [frɥi] n.m. fruit.
  fruits frais fresh fruit.

fumé [fyme] adj. smoked.

fumée [fyme] n.f. smoke.

fumer [fyme] v.tr. to smoke (cigarette, salmon).

fumet [fymɛ] n.m. (sauce-)essence; bouquet (of wine); scent (of food cooking).

fumeur [fymœ:r] n.m. (cigarette-) smoker.

fusil [fyzi] n.m. sharpening-steel.

gagner [gaɲe] v.tr. to earn; to win.

garçon [garsɔ̃] n.m. boy; waiter.
  garçon de café café waiter.
  garçon de restaurant restaurant waiter.

garde [gard] n.f. guard; relief staff.

garder [garde] v.tr. to keep; to mind, to look after.

gardon [gardɔ̃] n.m. roach.

garni [garni] adj. garnished; decorated.

garnir [garniːr] v.tr. to garnish; to decorate.

garniture [garnityːr] n.f. garnish.

gaspillage [gaspijaːʒ] n.m. wastage.

gaspiller [gaspijɛ] v.tr. to waste.

gastronome [gastrɔnɔm] n.m. gastronome(r).

gastronomique [gastrɔnɔmik] adj. gastronomic.

gâteau, -eaux [gɑto] n.m. cake; certain types of tart and pudding.

gauche [goːʃ] adj. left, left hand (side); clumsy.
   n.f. left hand (side).
   à ma gauche on my left.

gaufre [goːfr] n.f. waffle.

gaufrette [gofrɛt] n.f. wafer biscuit.
   pommes gaufrettes lattice-perforated potato chips.

gelée [ʒəle] n.f. jelly.
   gelée de groseille(s) (red-) currant jelly.

geler [ʒəle] v.tr. & i. to freeze; to become frozen.

gelinotte [ʒ(ə)linɔt] n.f. hazel-grouse, hazel-hen.

général, -ale, -aux [ʒenɛral, -o] adj. general.

genièvre [ʒənjɛːvr] n.m. juniper; gin.

gens [ʒɑ̃] n.m.p., occ. f.p. people.
   beaucoup de gens a lot of people.

gérant [ʒerɑ̃] n.m. manager.

gérante [ʒerɑ̃ːt] n.f. manageress.

gibier [ʒibje] n.m. (wild) game.
   gibier à plumes feathered game; "feather".
   gibier à poil furred game; "fur".

gigot [ʒigo] n.m. leg (of lamb, mutton).

gingembre [ʒɛ̃ʒɑ̃ːbr] n.m. ginger.

girofle [ʒirɔfl] n.m. clove.
   un clou de girofle a clove.

glace [glas] n.f. ice; mirror; ice-cream; sugar-icing; glaze, meat-jelly.

glacer [glase] v.tr. to ice (wine); to ice (cake); to glaze.

glaçon [glasɔ̃] n.m. ice-cube.

gnocchi, gnoki [ɲɔki] n.m.p. gnocchi.

gorgée [gɔrʒe] n.f. mouthful (of liquid); gulp.
   petite gorgée sip.

goujon [guʒɔ̃] n.m. gudgeon.

goulot [gulo] n.m. neck (of bottle).

gourmand, -ande [gurmɑ̃, -ɑ̃ːd] adj. & n. greedy; gourmand, glutton.

gourmet [gurmɛ] n.m. gourmet, esp. good judge of wines.

gousse d'ail [gusdaːj] n.f. clove of garlic.

goût [gu] n.m. taste (in all senses); style, mode, manner.

goûter [gute] v.tr. & i. to taste; to taste, to try; to enjoy, to relish; to have a snack.
   n.m. afternoon snack.

goutte [gut] n.f. drop (of liquid)

gouttelette [gutlɛt] n.f. droplet.

grain [grɛ̃] n.m. grain; corn; bean.
   grain de café coffee-bean.
   grain de poivre peppercorn.
   grain de raisin grape.

graisse [grɛːs] n.f. grease; fat.

gramme [gram] n.m. gram.

grand, grande [grɑ̃, grɑ̃ːd] adj. large, big; great; tall (of person, etc.)

grappe [grap] n.f. bunch (of grapes, etc.).

gras, grasse [grɑ, grɑːs] adj. fat; fatty; rich.

gratin [gratɛ̃] n.m. burnt food adhering to the utensil in which it was cooked; breadcrumbs, grated cheese.
   au gratin cooked with breadcrumbs or grated cheese.

gratiné [gratine] adj. gratinated.

gratiner [gratine] v.tr. to gratinate.

gratis [gratis] adv. free of charge, gratis.

gratuit [gratɥi] adj. free, free of charge, gratuitous.

grenade [grənad] n.f. pomegranate.

grenadine [grənadin] n.f. grenadine syrup.

grenouille [grənuːj] n.f. frog.

grillade [grijaːd] n.f. grill, grilled meat.

gris [gri] adj. grey; (wine) pink.

grive [griːv] n.f. thrush.

grog [grɔg] n.m. punch, toddy.

gros, grosse [gro, groːs] adj. big (in bulk); large; thick; coarse.

groseille [grozɛːj] n.f.
   groseille blanche white-currant.
   groseille rouge red-currant.
   groseille noire black-currant.
   groseille à maquereau gooseberry.

groupe [grup] n.m. group.

gruyère [gryjɛːr] n.m. Gruyère cheese.

guéridon [geridɔ̃] n.m. pedestal table; small service table.

N.B. All words beginning with aspirate **h** are marked thus: *

s'habiller [sabije] v.refl. to dress oneself, to get dressed.

habitude [abityd] n.f. habit, custom.

d'habitude adv. usually.

*****hanche** [ãːʃ] n.f. haunch.

*****hareng** [arã] n.m. herring.

*****harenguet** [arãgɛ] n.m. sprat.

*****haricot** [ariko] n.m.
haricot blanc haricot bean.
haricot vert French bean.

*****haut** [o] adj. high; high-class; higher, upper (reaches of rivers, etc.)
haute cuisine high-class cookery.

hebdomadaire [ɛbdɔ madɛːr] n.m. weekly (newspaper, magazine).

heure [œːr] n.f. hour; time.
l'heure exacte the right time, the correct time.
heures d'ouverture opening-hours, business-hours.
heures hors cloche overtime.
heures supplémentaires over-time.

hier [iɛːr] adv. yesterday.

hiver [ivɛːr] n.m. winter.

*****homard** [ɔmaːr] n.m. lobster.

homme [ɔm] n.m. man.

honnête [ɔnɛːt] adj. honest.

honnêteté [ɔnɛtte] n.f. honesty.

*****hors d'œuvre** [ɔrdœːvr] n.m. inv. in pl. hors d'œuvre.

hôte [oːt] n.m. host; guest.

hôtel [otɛl] n.m. hotel.

hôtelier, -ière [otəlje, -jɛːr] n. hotelier; innkeeper.
hôtelier, -ière adj. of, appertaining to, the hotel and catering industry.

hôtesse [otɛs] n.f. hostess; landlady.

huile [ɥil] n.f. oil.
huile d'olive olive oil.

huilier [ɥilje] n.m. oil and vinegar cruet.

huître [ɥiːtr] n.f. oyster.

*****hure** [yːr] n.f. head (of boar, etc.)
hure de sanglier boar's head.

importance [ɛ̃pɔrtãːs] n.f. importance.

important, -ante [ɛ̃pɔrtã, -ãːt] adj. important.

impressionnant, -ante [ɛ̃presjɔnã, -ãːt] adj. impressive.

incendie [ɛ̃sãdi] n.m. (accidental) fire, as distinct from **feu** (q.v.).

indiquer [ɛ̃dike] v.tr. to indicate, to point out.
indiquer du doigt to point to (with the finger).

industrie [ɛ̃dystri] n.f. industry.
l'industrie hôtelière the hotel and catering industry.

infusion [ɛ̃fyzjɔ̃] n.f. infusion.

ingrédient [ɛ̃gredjã] n.m. ingredient.

inoxydable [inɔksidabl] adj. stainless, rustless.

instant [ɛ̃stã] n.m. moment, instant.

intéressant, -ante [ɛ̃teresã, -ãːt] adj. interesting.

intérieur [ɛ̃terjœːr] n.m. & adj. interior, inside.

introduire [ɛ̃trɔdɥiːr] v.tr. to let in, to show in (person into room, etc.).

inventaire [ɛ̃vãtɛːr] n.m. inventory; stock-list; balance-sheet.

invité, -ée [ɛ̃vite] n. guest.

inviter [ɛ̃vite] v.tr. to invite.

jamais [ʒamɛ] adv. never.
jamais (used conjunctively) ever.
ne ... jamais (used conjunctively) never.

jambon [ʒãbɔ̃] n.m. ham.

janvier [ʒãvje] n.m. January.

jaune [ʒoːn] n.m. & adj. yellow.
jaune d'œuf yolk of egg.

jeter [ʒəte] v.tr. to throw.

jeudi [ʒødi] n.m. Thursday.

jeune [ʒœn] adj. young.

joli [ʒɔli] adj. pretty.

jour [ʒuːr] n.m. day.

journal, -aux [ʒurnal, -o] n.m. newspaper; day-book.

journalier, -ière [ʒurnalje, -jɛːr] adj. daily; everyday.

journée [ʒurne] n.f. day (usually with the idea of duration of time).

juillet [ʒɥijɛ] n.m. July.

juin [ʒɥɛ̃] n.m. June.

jus [ʒy] n.m. juice; gravy.
jus de citron lemon-juice; lime-juice.
jus de limon lemon-juice; lime-juice.

kari [kari] n.m. curry.

kirsch [kirʃ] n.m. Kirschwasser.
kummel [kymɛl] n.m. Kümmel.
laisser [lɛse] v.tr. to let; to leave.
  laisser tomber to drop.
lait [lɛ] n.m. milk.
laitance [lɛtãːs] n.f. soft roe.
laite [lɛt] n.f. soft roe.
laitue [lɛty] n.f. lettuce.
  laitue romaine cos lettuce.
langouste [lãgust] n.f. spiny lobster.
langoustine [lãgustin] n.f. Norway lobster.
langue [lãːg] n.f. tongue.
  langue de bœuf ox-tongue.
  langue de veau calf's tongue.
lapereau, -eaux [lapro] n.m. young rabbit.
lapin [lapɛ̃] n.m. rabbit.
  lapin de garenne wild rabbit.
larcin [larsɛ̃] n.m. petty theft; act of pilfering.
large [larʒ] adj. broad, wide.
largeur [larʒœːr] n.f. breadth, width.
laurier [lɔrje] n.m. laurel; bayleaf.
lavabo [lavabo] n.m. wash-basin; wash-room; lavatory.
laver [lave] v.tr. to wash.
  se laver v.refl. to wash (oneself).
  se laver les mains to wash one's hands.
léger, -ère [leʒe, -ɛːr] adj. light (weight, food).
légume [legym] n.m. vegetable.
légumier [legymje] n.m. vegetable-dish.
lent, lente [lã, lãːt] adj. slow.
lentement [lãtmã] adv. slowly.
levraut [ləvro] n.m. leveret.
libre (libr) adj. free, unrestricted; vacant, unoccupied.
lie [li] n.f. lees, dregs.
  lie de vin lees of wine.
ilé [lje] adj. bound; tied; coagulated, thickened.
liège [ljɛːʒ] n.m. cork (material, as distinct from **bouchon**, q.v.).
lier [lje] v.tr. to bind; to tie; to thicken.
lièvre [ljɛːvr] n.m. hare.
limande [limãːd] n.f. dab.
lime [lim] n.f. sweet lime.
limon [limõ] n.m. sour lime.
limonade [limɔnad] n.f. lemonade.
linge [lɛ̃ːʒ] n.m. linen.
  linge de table table-linen.
liqueur [likœːr] n.f. liqueur; liquor.

liquide [likid] n.m. & adj. liquid
lire [liːr] v.tr. to read.
lisse [lis] adj. smooth, polished.
liste [list] n.f. list; register.
litre [litr] n.m. litre (1,000 c.c.= approx. 1·76 pints).
livre [liːvr] n.m. book.
  livre journalier day-book.
livre [liːvr] n.f. pound (weight); pound (sterling).
loi [lwa] n.f. law, statute.
long, longue [lõ, lõːg] adj. long.
longe [lõːʒ] n.f. loin (of pork, etc.).
longueur [lõgœːr] n.f. length.
lorsque [lɔrsk(ə)] conj. when.
louche [luʃ] n.f. ladle, soup-ladle.
lourd, lourde [luːr, lurd] adj. heavy (weight, food, etc.).
lumière [lymjɛːr] n.f. light.
lundi [lœdi] n.m. Monday.
lustre [lystr] n.m. lustre, polish; chandelier.
luxe [lyks] n.m. luxury.
  de luxe adj. phrase luxury, luxurious.
  restaurant de luxe luxury restaurant.
luxueux, euse [lyksɥø, -øːz] adj. luxurious; sumptuous.
mâche [mɑːʃ] n.f. lamb's lettuce, corn-salad.
macis [masi] n.m. mace (aromatic).
madame, pl. mesdames [madam, mɛdam] n.f. madam.
  Madame (abbr. Mme.) Mrs.
madère [madɛːr] n.m. Madeira (wine).
mai [mɛ] n.m. May.
maigre [mɛːgr] adj. thin, lean; meagre; lean (of meat).
  repas maigre meatless meal.
main [mɛ̃] n.f. hand.
  la main droite the right hand.
  la main gauche the left hand.
maintenant [mɛ̃tnã] adv. now.
mais [mɛ] conj. but.
maïs [mais] n.m. maize, Indian corn.
maison [mɛzõ] n.f. house.
maître [mɛːtr] n.m. master.
  maître d'hôtel head waiter.
  maître d'hôtel de rang station head waiter.
  maître d'hôtel de réception reception head waiter.
majoration [maʒɔrasjõ] n.f. increase (in price, wages, etc.).

mal [mal] adv. badly.

mal, pl. **maux** [mo] n.m. hurt, harm.

se faire mal to hurt oneself.

malade [malad] adj. ill.

maladie [maladi] n.f. illness.

malgré [malgre] prep. in spite of.

malheur [malœːr] n.m. misfortune, ill luck.

malheureusement [malœrøzmɑ̃] adv. unfortunately.

malheureux, -euse [malœrø, -øːz] adj. unfortunate.

mandarine [mɑ̃darin] n.f. tangerine.

manger [mɑ̃ʒe] v.tr. to eat. n.m. food.

manque [mɑ̃ːk] n.m. lack; shortage.

manquer [mɑ̃ke] v.i. to lack, to be deficient; to fail; to miss [rendezvous, train, etc.).

maquereau, -eaux [makro] n.m. mackerel.

marc [maːr] n.m. marc (of grapes, etc.).

eau-de-vie-de-marc marc-brandy.

marcassin [markasɛ̃] n.m. young wild boar.

marche [marʃ] n.f. step, stair (of staircase, flight of steps).

Attention à la marche! Mind the step!

marcher [marʃe] v.i. to walk; to work, to function (machine).

mardi [mardi] n.m. Tuesday.

marée [mare] n.f. tide; fresh seawater fish.

marinade [marinad] n.f. pickle; brine.

mariner [marine] v.tr. to pickle; to salt; to souse.

marjolaine [marʒɔlɛn] n.f. sweet marjoram.

marmelade [marmǝlad] n.f. compote; marmalade.

marmite [marmit] n.f. cooking-pot.

petite marmite small earthenware pot in which individual portions of soup are served.

marque [mark] n.f. mark; trade mark; brand.

une bonne marque a good make.

marron [marɔ̃] n.m. large, sweet Spanish chestnut, having only one large kernel in each husk, the other two being atrophied during growth.

mars [mars] n.m. March.

matériel [materjɛl] n.m. material, equipment.

matière [matjɛːr] n.f. material; subject-matter.

matières premières raw materials.

matin [matɛ̃] n.m. morning.

matinée [matine] n.f. morning (usually with the idea of duration of time].

mauvais [mɔvɛ] adj. bad.

mauviette [movjɛt] n.f. lark (in season).

mayonnaise [majɔnɛːz] n.f. mayonnaise.

meilleur, -eure [mɛjœːr] adj. better.

le meilleur adj. the better (of two); the best.

mélange [melɑ̃ːʒ] n.m. mixing; mixture; blend.

mélanger [melɑ̃ʒe] v.tr. to mix; to blend.

melet [mǝlɛ] n.m. sprat.

melette [mǝlɛt] n.f. sprat.

melon [mǝlɔ̃] n.m. melon.

melon d'eau water-melon.

même [mɛːm] adj. same. adv. even.

ménagère [menaʒɛːr] n.f. housekeeper; housewife; cruet-set, cruet.

menthe [mɑ̃ːt] n.f. mint.

menu [mǝny] n.m. menu.

menu gastronomique gastronomic menu; luxury menu.

menu touristique tourist menu; "economy" menu.

mer [mɛːr] n.f. sea.

merci [mɛrsi] adv. thanks, thank you; no, thank you.

merci bien thanks very much.

mercredi [mɛrkrǝdi] n.m. Wednesday.

meringue [mǝrɛ̃ːg] n.f. meringue.

mérite [merit] n.m. merit, worth.

mériter [merite] v.tr. to merit, to deserve.

merlan [mɛrlɑ̃] n.m. whiting.

mesure [mǝzyːr] n.f. measure.

mets [mɛ] n.m. dish of food; article of food.

mettre [mɛtr] v.tr. to put.

se mettre à table v. refl. to sit down at table, to take one's place at table.

meuble [mœbl] n.m. item of furniture.

meubler [mœble] v.tr. to furnish (room, etc.).

miel [mjɛl] n.m. honey.

mieux [mjø] adv. better.
  le mieux adv. best.

millésime [milezim] n.m. year (of wine, etc.).

minéral, -aux [mineral, -o] adj. & n.m. mineral.

minute [minyt] n.f. minute.

mirabelle [mirabɛl] n.f. mirabelle plum.

miroir [mirwaːr] n.m. mirror.

mise [miːz] n.f. action of putting or placing.

mobilier [mɔbilje] n.m. furniture; suite of furniture.

moderne [mɔdɛrn] adj. modern.

moelle [mwal] n.f. bone-marrow.
  à la moelle (served) with bone-marrow.

moins [mwɛ̃] adv. less.
  le moins adv. least, the least.
  moins de adj. phrase less (of).
  moins de vin less wine.
  moins que prep. phrase less than.
  moins de + num. less than.
  moins de vingt francs less than twenty francs.
  au moins at least (in quantity).
  du moins at least, at any rate, at all events.

mois [mwɑ] n.m. month.

moitié [mwatje] n.f. half.

mollet, -ette [mɔlɛ, -ɛt] adj. fairly soft.
  œuf mollet fairly soft-boiled egg.

moment [mɔmɑ̃] n.m. moment, instant.

monde [mɔ̃ːd] n.m. world; people.
  tout le monde everybody.
  le grand monde high society.

monnaie [mɔnɛ] n.f. change (esp. in coin).
  une pièce de monnaie a coin.
  petite monnaie petty cash.

monsieur, pl. **messieurs** [msjø, mesjø] n.m. Mr.; gentleman.
  M. Charrier Mr. Charrier.
  MM. Colbert et Duroc Messrs. Colbert & Duroc.

montant [mɔ̃tɑ̃] n.m. total, sum.

monte-charge [mɔ̃tʃarʒ] n.m. service-lift, goods-lift.

monter [mɔ̃te] v.i. to climb; to go up, to come up.
  v.tr. to bring up, to fetch up.

monter du vin to bring up some wine (from cellar).

montre [mɔ̃ːtr] n.f. watch.
  montre de poignet wrist-watch.

montrer [mɔ̃tre] v.tr. to show, to display.

morceau, -eaux [mɔrso] n.m. piece, bit, fragment.

morille [mɔriːj] n.f. morel.

morue [mɔry] n.f. cod.

mot [mo] n.m. word.

moule [mul] n.m. mould. n.f. mussel.

moulé [mule] adj. moulded.

mouler [mule] v.tr. to mould.

moulin [mulɛ̃] n.m. mill.
  moulin à café coffee-mill.
  moulin à poivre pepper-mill.

mousse [mus] n.f. froth, foam; whipped cream; mousse.

mousseron [musrɔ̃] n.m. small edible mushroom.

mousseux, -euse [musø, -øːz] adj. frothy, foamy; sparkling.

moutarde [mutard] n.f. mustard.

moutardier [mutardje] n.m. mustard-pot.

mouton [mutɔ̃] n.m. mutton.

moyen, -enne [mwajɛ̃, -ɛn] adj. middle; medium; average.

moyen [mwajɛ̃] n.m. means.
  au moyen de prep. phrase by means of.

moyenne [mwajɛn] n.f. average.

mur [myːr] n.m. wall.

mûr [myːr] adj. ripe; mature.

mûre [myːr] n.f. blackberry; mulberry.

muscade [myskad] n.f. nutmeg.

musique [myzik] n.f. music.

nageoire [naʒwaːr] n.f. fin (of fish).

nappe [nap] n.f. table-cloth.

napperon [naprɔ̃] n.m. tray-cloth; slip-cloth; tea-cloth.
  petit napperon doily.

national, -aux [nasjɔnal, -o] adj. national.

nature [natyːr] adj. inv. plain.
  pommes nature plain-boiled potatoes.

naturel, -elle [natyrɛl] adj. natural.

navet [navɛ] n.m. turnip.
  navet de Suède, navet suédois swede.

nèfle [nɛfl] n.f. medlar.

négociant, -ante [negɔsjɑ̃, -ɑ̃t] n. dealer, trader; (wholesale) merchant.

neige [nɛːʒ] n.f. snow.
  battre en neige to beat stiff (egg-white).
nettoyer [nɛtwaje] v.tr. to clean.
neuf, neuve [nœf, nœːv] adj. new; unused; mint.
nœud [nø] n.m. knot.
  nœud papillon bow tie.
noir [nwaːr] adj. black.
noisette [nwazɛt] n.f. hazel-nut.
  beurre noisette brown butter.
noix [nwa] n.f. walnut.
  noix de coco coco-nut.
nom [nɔ̃] n.m. name; noun.
nombre [nɔ̃ːbr] n.m. number (as distinct from **numéro**, q.v.); number (plural quantity).
  nombre pair even number.
  nombre impair odd number.
nombreux, -euse [nɔ̃brø, -øːz] adj. numerous.
  peu nombreux adj. few.
nommer [nɔme] v.tr. to name; to mention.
non [nɔ̃] adv. no; not.
  non-alcoolisé adj. non-alcoholic.
  non-fumeur n. non-smoker.
note [nɔt] n.f. note; bank-note; notice; bill, account.
nougat [nuga] n.m. nougat.
nouilles [nuːj] n.f. noodles.
nouillettes [nujɛt] n.f. small noodles.
nourriture [nurityːr] n.f. food, nourishment.
nouveau, -el, -elle, -eaux [nuvo, -ɛl] adj. new; new, fresh (esp. of new season's vegetables, etc.); fresh, further, additional.
nouvelles [nuvɛl] n.f.p. news, information.
novembre [nɔvɑ̃ːbr] n.m. November.
noyau, -aux [nwajo] n.m. nut; kernel.
numéro [nymero] n.m. (cardinal) number.
numéroter [nymerote] v.tr. to number, to number off.
obtenir [ɔptəniːr] v.tr. to obtain, to get.
occupé [ɔkype] adj. engaged, taken up (table); busy, engaged (person).
occuper [ɔkype] v.tr. to occupy; to engage, to busy.
  s'occuper de to busy oneself with.
octobre [ɔktɔbr] n.m. October.

odeur [ɔdœːr] n.f. smell, odour; scent.
œuf, œufs [œf, ø] n.m. egg.
  œufs de poisson (hard) roe of fish.
office [ɔfis] n.f. still-room.
offrir [ɔfriːr] v.tr. to offer.
oie [wa] n.f. goose.
oignon [ɔɲɔ̃] n.m. onion.
oiseau, -eaux [wazo] n.m. bird.
oison [wazɔ̃] n.m. gosling.
olive [ɔliːv] n.f. olive.
omelette [ɔmlɛt] n.f. omelette, omelet.
opération [ɔpɛrasjɔ̃] n.f. operation; transaction.
opérer [ɔpere] v.tr. to operate, to carry out.
orange [ɔrɑ̃ːʒ] n.f. orange.
orangeade [ɔrɑ̃ʒad] n.f. orangeade.
orchestre [ɔrkɛstr] n.m. orchestra.
ordinaire [ɔrdinɛːr] adj. ordinary.
ordonner [ɔrdɔne] v.tr. to set in order (establishment).
  v.i. to order, to command.
  ordonner à quelqu'un de faire quelque chose to order someone to do something.
ordre [ɔrdr] n.m. order, command; order, sequence; (good) order, discipline.
orge [ɔrʒ] n.f. barley.
  orge [m.] perlé pearl-barley.
ortolan [ɔrtɔlɑ̃] n.m. ortolan bunting.
os [ɔs, pl. o] n.m. bone.
  os à moelle marrow-bone.
oseille [ozɛːj] n.f. sorrel.
ou [u] conj. or.
  ou ... ou ... either ... or ...
où [u] adv. where.
  où? where?
oublier [ublje] v.tr. to forget.
oui [wi] adv. yes.
  oui, merci yes, thank you.
oursin [ursɛ̃] n.m. sea-urchin.
ouvert [uvɛːr] adj. open.
ouverture [uvɛrtyːr] n.f. opening.
ouvre-boîtes [uvrəbwat] n.m.inv. in pl. tin-opener.
ouvre-bouteilles [uvrəbutɛːj] n.m. inv. in pl. bottle-opener.
ouvre-huîtres [uvrɥiːtr] n.m. inv. in pl. oyster-knife.
ouvrir [uvriːr] v.tr. to open.
  s'ouvrir v.refl. to open.
page [paːʒ] n.f. page (of book). n.m. page-boy; buttons.

paille [pɑːj] n.f. straw.
  paille au parmesan cheese straw.
pain [pɛ̃] n.m. bread; loaf.
  pain blanc white bread.
  pain bis brown bread.
  petit pain bread roll.
paire [pɛːr] n.f. pair; brace (of birds, etc.).
pamplemousse [pɑ̃pləmus] n.m. or f. grape-fruit.
panais [panɛ] n.m. parsnip.
paner [pane] v.tr. to cover with breadcrumbs.
panier [panje] n.m. basket.
  panier verseur wine-basket.
pantalon [pɑ̃talɔ̃] n.m. (pair of) trousers.
papier [papje] n.m. paper.
papillote [papijɔt] n.f. buttered paper (in which meat is cooked).
paprika [paprika] n.m. Hungarian pepper, paprika.
parer [pare] v.tr. to dress, to trim; to pare; to embellish, to adorn.
parfum [parfœ̃] n.m. perfume; fragrance; bouquet (of wine).
parler [parle] v.i. to speak, to talk.
parmi [parmi] prep. among, amid.
parole [parɔl] n.f. word; remark; pledge, promise; speech, discourse.
parquet [parkɛ] n.m. parquet floor.
partie [parti] n.f. part; section; "corner" (of kitchen).
partir [partiːr] v.i. to leave, to depart.
partout [partu] adv. everywhere.
passer [pase] v.tr. & i. to pass; to pass, to strain.
passe-thé [paste] n.m. inv. in pl. tea-strainer.
passoire [paswaːr] n.f. strainer.
patate [patat] n.f. sweet potato.
pâte [pɑːt] n.f. paste; pastry.
  pâte feuilletée puff pastry.
pâté [pate] n.m. pie.
  pâté de foie gras paste made from the livers of fattened geese.
pâtisserie [patisri] n.f. pastry.
patron, -onne [patrɔ̃, -ɔn] n. employer; proprietor; boss.
paupiette [popjɛt] n.f. rolled and stuffed slice of meat, etc.
payer [pɛje] v.tr. to pay; to pay for.
peler [pəle] v.tr. to peel, to skin.
pelle [pɛl] n.f. shovel, scoop, spatula-shaped spoon.
  pelle à fromage cheese-scoop.

pelle à moutarde mustard-spoon (of spatula shape).
pelle à sel salt-spoon (of spatula shape).
pendule [pɑ̃dyl] n.f. clock.
  pendule murale wall-clock; hanging clock.
perce-cigares [pɛrssigaːr] n .m. inv. in pl. cigar-piercer.
perche [pɛrʃ] n.f. perch.
percolateur [pɛrkɔlatœːr] n.m. percolator.
perdreau, -eaux [pɛrdro] n.m. young patridge; (on menu) partridge.
perdrix [pɛrdri] n.f. partridge.
persil [pɛrsi] n.m. parsley.
personne [pɛrsɔn] n.f. person. pron.m.inv. anyone, anybody.
  ne ... personne (used conjunctively) nobody, no one.
  personne (used disjunctively) nobody, no one.
personnel, -elle [pɛrsɔnɛl] adj. personal; private.
personnel [pɛrsɔnɛl] n.m. personnel, staff.
pétillant [petijɑ̃] adj. semi-sparkling (wine).
petit, -ite [pəti, pətit] adj. small; little; unimportant.
peu [pø] n.m. & adv. little; few.
  en peu de mots in few words.
  un peu de sucre a little sugar.
peut-être [pøtɛːtr] adv. perhaps, maybe.
pièce [pjɛs] n.f. piece; bit, fragment; room (in house).
  pièce de monnaie coin.
pied [pje] n.m. foot; foot (unit of length).
  pied de cochon pig's trotter.
  pied de verre stem of glass.
pierre [pjɛːr] n.f. stone.
  pierre à aiguiser sharpening-stone, whetstone.
pigeon [piʒɔ̃] n.m. pigeon.
pilaf [pilaf] n.m. pilaff.
pilau [pilo] n.m. pilaff.
pilaw [pilo] n.m. pilaff.
piler [pile] v.tr. to pound; to grind.
piment [pimɑ̃] n.m. pimento, red pepper.
pince [pɛ̃ːs] n.f. pincer; tongs; claw (of crab).
  pince à asperges asparagus-tongs.
  pince à escargots snail-tongs.
  pince à glace ice-tongs.

pince à sucre sugar-tongs.
pincée [pɛ̃se] n.f. pinch (of salt, etc.).
pintade [pɛ̃tad] n.f. guinea-fowl.
pintadeau, -eaux [pɛ̃tado] n.m. young guinea-fowl.
pinte [pɛ̃:t] n.f. orig. (French) pint (=nearly 2 English pints); pint.
pipe [pip] n.f. (smoker's) pipe.
piste de danse [pistdədɑ̃:s] n.f. dance-floor.
placard [plaka:r] n.m. wall-cupboard; placard, poster.
place [plas] n.f. position (in room); place, spot; room (=available accommodation).
    Il n'y a pas de place. There is no room.
    places assises n.f.p. seating-accommodation, number of seats.
placer [plase] v.tr. to place, to set in place.
plafond [plafɔ̃] n.m. ceiling.
plaindre [plɛ̃:dr] v.tr. to pity, to be sorry for.
    se plaindre de v. refl. to complain about.
plainte [plɛ̃:t] n.f. complaint.
    porter plainte contre quelqu'un to complain about somebody.
plaire [plɛ:r] v. ind. tr. to please.
    plaire à quelqu'un to please someone.
    s'il vous plaît if you please; please.
plaisir [plɛzi:r] n.m. pleasure.
planche [plɑ̃:ʃ] n.f. plank; board; shelf.
    planche à fromage(s) cheese-board.
plancher [plɑ̃ʃe] n.m. floor (made of floor-boards, as distinct from **carrelage** and **parquet**, q.v.).
plat [pla] adj. flat.
    n.m. dish (from which food is served onto plate); dish (of food, i.e. the food itself); dish, course, stage (of meal).
    un dîner de cinq plats a five-course dinner.
    plat à entrées entrée-dish.
    sur le plat (of food, served) on the dish on which it was cooked.
plateau [plato] n.m. tray.
    plateau d'argent (silver) salver.
plein [plɛ̃] adj. full.
    un verre plein a full glass.
    un plein verre de vin a glassful of wine.

pli [pli] n.m. fold.
plie [pli] n.f. plaice.
plier [plie] v.tr. to fold.
plume [plym] n.f. feather.
plus [ply] adv. more.
    plus grand larger.
    le plus most, the most.
    plus de + numerical quantity more than.
    plus que prep. & conj. more than.
    plus difficile que cela more difficult than that.
    ne . . . plus (conjunctively) no more, no longer.
    plus (disjunctively) no more, no longer.
pluvier [plyvje] n.m. plover.
poche [pɔʃ] n.f. pocket.
poché [pɔʃe] adj. poached.
pocher [pɔʃe] v.tr. to poach.
poêle [pwɑ:l, pwal] n.m. stove. n.f. frying-pan.
poinçon à glace [pwɛ̃sɔ̃aglas] n.m. ice-pick.
point [pwɛ̃] n.m. point (in space); point, detail, item; full stop, punctuation mark; point, stage.
    point d'interrogation question mark.
    point d'exclamation exclamation mark.
    adv. (disjunctively) not at all.
    ne . . . point (conjunctively) not at all.
pointe [pwɛ̃:t] n.f. point, tip, end.
    pointe d'ail touch of garlic.
    pointe d'asperge asparagus-tip.
poire [pwa:r] n.f. pear.
poireau, -eaux [pwaro] n.m. leek.
pois [pwɑ] n.m. pea.
    petit pois garden pea.
poisson [pwasɔ̃] n.m. fish.
poivre [pwa:vr] n.m. pepper.
    poivre blanc white pepper.
    poivre noir black pepper.
    poivre de Cayenne Cayenne pepper.
poivrière [pwavriɛ:r] n.f. pepper-pot.
poivron [pwavrɔ̃] n.m. allspice.
poli [pɔli] adj. polished, bright; polished, elegant.
polir [pɔli:r] v.tr. to polish.
politesse [pɔlitɛs] n.f. politeness; courtesy, civility.

pomme [pɔm] n.f. apple.
  pomme à couteau eating apple, dessert apple.
  pomme de terre, pl. **pommes de terre** potato.
porc [pɔːr] n.m. pork.
porcelaine [pɔrsəlɛn] n.f. porcelain, china.
porte [pɔrt] n.f. door.
  porte d'entrée entrance door; street door.
porter [pɔrte] v.tr. to carry; to wear.
porte-rôties [pɔrtəroti] n.m. inv. in pl. toast-rack.
porto [pɔrto] n.m. port (wine).
poser [poze] v.tr. to place, to lay, to put.
pot [po] n.m. pot; jug (for milk).
  pot en grès stoneware jug.
potage [pɔtaːʒ] n.m. soup (in general).
potiron [pɔtirɔ̃] n.m. pumpkin.
pouding [pudɛ̃] n.m. pudding.
poudre [puːdr] n.f. powder.
poularde [pulard] n.f. table-fowl.
poulardine [pulardiːn] n.f. young chicken.
poule [pul] n.f. hen.
  poule au pot boiled chicken.
poulet [pulɛ] n.m. chicken.
  poulet de grain corn-fed chicken.
  poulet à la crapaudine spatch-cocked chicken.
pour [puːr] prep. for.
pourboire [purbwaːr] n.m. tip, gratuity.
pourquoi [purkwa] adv. & conj. why.
  pourquoi? why?
poussière [pusjɛːr] n.f. dust.
poussin [pusɛ̃] n.m. spring chicken.
pouvoir [puvwaːr] v.tr. to be able (to).
  n.m. power, powers; authority.
pratique [pratik] adj. practical.
  n.f. practice; experience.
au préalable [oprealabl] adv. beforehand, to begin with.
préalablement [prealabləmã] adv. previously.
préféré [prefere] adj. favourite, preferred.
préférence [preferãːs] n.f. preference.
préférer [prefere] v.tr. to prefer.
premier, -ière [prəmje, -jɛːr] adj. first.

prendre [prãːdr] v.tr. to take.
prénom [prenɔ̃] n.m. forename; Christian name.
préparatifs [preparatif] n.m. preparations (for the future, etc.).
préparation [preparasjɔ̃] n.f. preparation, act of preparing.
préparer [prepare] v.tr. to prepare.
pré-salé, pl. **prés-salés** [presale] n.m. salt-meadow lamb.
présent [prezã] adj. present.
présentation [prezãtasjɔ̃] n.f. presentation, introduction; presentation (of gift, etc.).
présenter [prezãte] v.tr. to present; to introduce.
  présenter quelqu'un à quelqu'un to introduce someone to someone.
presque [prɛsk] adv. almost, nearly.
presse [prɛs] n.f. press, pressing-machine.
  presse à canard duck-press.
presse-citrons [prɛssitrɔ̃] n.m. inv. in pl. lemon-squeezer.
pressé [prɛse] adj. squeezed; pressed, crowded; hurried, in a hurry.
presser [prɛse] v.tr. to squeeze; to hurry.
  se presser v. refl. to hurry (oneself) up.
prêt [prɛ] adj. ready.
  n.m. loan.
prêter [prɛte] v.tr. to lend.
prier [prie] v.tr. to ask, to request.
  Je vous en prie! Don't mention it! You're welcome!
prière [priɛːr] n.f. request, entreaty.
  "Prière de ne pas fumer." "Please do not smoke." "Kindly refrain from smoking."
primeurs [primœːr] n.f.pl. early vegetables or fruit; forced vegetables or fruit.
principal, aux [prɛ̃sipal, -o] adj. principal, chief, most important.
principe [prɛ̃sip] n.m. principle; basis; rule.
printanier, -ière [prɛ̃tanje, -jɛːr] adj. of the spring, spring-like.
printemps [prɛ̃tã] n.m. spring.
  au printemps in (the) spring.
prix [pri] n.m. price; prize.
prochain [prɔʃɛ̃] adj. nearest; next.
  la semaine prochaine next week.

profiter [prɔfite] v.i. to profit; to benefit.
  profiter de quelque chose to benefit from something; to make the most out of something.

programme [prɔgram] n.m. programme.

propre [prɔpr] adj. own; clean.

propreté [prɔprəte] n.f. cleanliness; neatness, tidiness.

prudent [prydɑ̃] adj. prudent, discreet; careful.

prune [pryn] n.f. plum.

pruneau, -eaux (pryno) n.m. prune.

public, -ique [pyblik] adj. public.
  le public n.m. the public.

purée [pyre] n.f. mash (of vegetables, fruit); thick soup made from mashed vegetables, etc.

qualité [kalite] n.f. quality.

quand [kɑ̃] conj. when.
  quand même all the same, nevertheless.

quantité [kɑ̃tite] n.f. quantity.

quart [kaːr] n.m. quarter.
  un quart de litre a quarter of a litre.

quelque [kɛlk(ə)] adj. some, any.
  quelque chose [kɛlkəʃoːz] pron. m. inv. something, anything.
  quelque chose de nouveau something new.

quelquefois [kɛlkəfwa] adv. sometimes.

quelque part [kɛlkəpaːr] adv. somewhere.

quelqu'un, quelqu'une, pl. **quelques-uns, quelques-unes** (kɛlkœ̃, kɛlkyn, kɛlkəzœ̃, kɛlkəzyn) pron. somebody, someone; anybody, anyone.

question [kɛstjɔ̃] n.f. question.

queue [kø] n.f. tail; queue.

quinquina [kɛ̃kina] n.m. quinquina-flavoured apéritif.

quitter [kite] v.tr. to leave (place).

quoi? [kwa] pron. what?

quotidien, -ienne [kɔtidjɛ̃, -jɛn] adj. daily, everyday.
  quotidien n.m. daily newspaper, daily.

râble [raːbl] n.m. saddle (of hare, rabbit).

racine [rasin] n.f. root; root vegetable.
  aux racines (prepared, served) with root vegetables.

radis [radi] n.m. radish.

rafraîchi [rafrɛʃi] adj. refreshed, revived; cooled, chilled.

rafraîchir [rafrɛʃiːr] v.tr. to refresh, to revive; to cool, to chill.

raie [rɛ] n.f. ray, skate.

raifort [rɛfɔːr] n.m. horse-radish.

raisin [rɛzɛ̃] n.m.
  le raisin, du raisin grapes.
  un grain de raisin a grape.
  une grappe de raisin a bunch of grapes.
  raisins de Corinthe currants.
  raisins de Smyrne sultanas.
  raisins secs raisins.

raison [rɛzɔ̃] n.f. reason, motive; reason, justification.
  avec raison with reason, rightly, justifiably.
  avoir raison to be right.
  sans raison without reason, unreasonably.

râle [raːl] n.m. rail.
  râle de genêt [raːldəʒənɛ] landrail, corncrake.

rallonge [ralɔ̃ːʒ] n.f. extension-piece (of table).

rallonger [ralɔ̃ʒe] v.tr. to lengthen (table).

ramasse-miettes [ramasmjɛt] n.m. inv. in pl. crumb-scoop.

ramasser [ramase] v.tr. to gather (together); to pick up.

rang [rɑ̃] n.m. line, row (of tables); rank, status.

rangé [rɑ̃ʒe] adj. tidy (room); steady (person).

ranger [rɑ̃ʒe] v.tr. to replace, to put (something) back in its place; to tidy, to arrange; to set in order.

rapide [rapid] adj. rapid, swift, quick.

rapidement [rapidmɑ̃] adv. quickly, swiftly.

rappeler [raple] v.tr. to call again; to call back, to recall.

rapport [rapɔːr] relation, connection; relations, connections, dealings; report, statement.

ravier [ravje] n.m. hors d'œuvre dish.

réception [resɛpsjɔ̃] n.f. reception, welcome; reception department (of hotel, etc.).

recette [rəsɛt] n.f. recipe.

recevoir [rəsəvwaːr] v.tr. to receive; to receive, to entertain (guests).

réchaud [reʃo] n.m. chafing-lamp; (sideboard) hot-plate.

réchauffé [reʃofe] adj. reheated; warmed up again.

réchauffer [reʃofe] v.tr. to reheat; to warm up again.

réclamation [reklamasjɔ̃] n.f. complaint.

réclame [reklɑ:m] n.f. advertisement; advertising sign, poster, etc.

recommander [rəkɔmɑ̃de] v.tr. to recommend.

recommencer [rəkɔmɑ̃se] v.tr. & i. to start again, to begin again.

rectifier [rɛktifje] v.tr. to rectify, to put right.

reçu [rəsy] adj. received.

recueil [rəkœ:j] n.m. collection, miscellany (e.g. of recipes).

réfrigérateur [refriʒeratœ:r] n.m. refrigerator.

regarder [rəgarde] v.tr. to look at.

régime [reʒim] n.m. diet.
être au régime to be on a diet.

règle [rɛgl] n.f. rule (of behaviour, etc.).

règlement [rɛgləmɑ̃] n.m. regulation, ordinance.

régler [regle] v.tr. to set in order; to settle (debt), to pay (bill).
régler l'addition to pay the bill.

régulier, -ière [regylje, -jɛ:r] adj. regular; steady, orderly.

reine-Claude, pl. **reines-Claude** [rɛnklo:d] n.f. greengage.

relations [rəlasjɔ̃] n.f. connections, dealings.

remercier [rəmɛrsje] v.tr. to thank.
Je vous remercie. Thank you.

remettre [rəmɛtr] v.tr. to put back (again); to re-lay (the table).

remise [rəmi:z] n.f. (action of) putting back; re-laying (of table).

remplacer [rɑ̃plase] v.tr. to replace (with somebody else, something else).

remplir [rɑ̃pli:r] v.tr. to fill.

remuer [rəmɥe] v.tr. & i. to move; to stir (tea, etc.).

rencontre [rɑ̃kɔ̃:tr] n.f. meeting, encounter (as distinct from **réunion**, q.v.).

rencontrer [rɑ̃kɔ̃tre] v.tr. to meet, encounter (person, problem).

rendez-vous [rɑ̃devu] n.m. inv. in pl. appointment, rendez-vous; meeting-place.

rendre [rɑ̃:dr] v.tr. to render; to give back.
se rendre à un lieu to go to a place, to make one's way to a place.

renseignement [rɑ̃sɛɲmɑ̃] n.m. (item of) information.
bureau de renseignements information office, enquiry office.

renseigner [rɑ̃sɛɲe] v.tr. to inform.
renseigner quelqu'un sur quelque chose to inform someone about something.

rentrer [rɑ̃tre] v.tr. & i. to come in again, to go in again; to return (home); to bring in, to take in.

répandre [repɑ̃:dr] v.tr. to spread, to sprinkle; to upset, to spill.

repas [rəpɑ] n.m. meal.
un repas de quatre plats a four-course meal.

replacer [rəplase] v.tr. to replace, to put back in place.

répondre [repɔ̃:dr] v.i. to reply, to answer.

réservation [rezɛrvasjɔ̃] n.f. reservation, booking.

réservé [rezɛrve] adj. reserved, booked.

réserver [rezɛrve] v.tr. to reserve, to book.

restaurant [rɛstɔrɑ̃] n.m. restaurant.
restaurant cachir Kosher restaurant.

restaurateur, restauratrice [rɛstɔratr, rɛstɔratris] n. restaurateur, owner or keeper of restaurant.

rester [rɛste] v.i. to stay; to remain.

restes [rɛst] n.m.pl. remains, leftovers.

résumé [rezyme] n.m. résumé, summary.

retenir [rətni:r] v.tr. to keep back; to keep; to engage (staff).

retirer [rətire] v.tr. to take out, to withdraw; to remove.

retour [rətu:r] n.m. return.

retourner [rəturne] v.tr. to turn inside out; to return.

retrouver [rətruve] v.tr. to find again.

réunion [reynjɔ̃] n.f. reunion, meeting, social gathering.

revenir [rəvni:r] v.i. to return, to come back.

faire revenir v.tr. to brown (e.g. butter in a pan).

revoir [rəvwa:r] v.tr. to see again.
Au revoir! Goodbye!

rhum [rɔm] n.m. rum.

rideau [rido] n.m. curtain.

rien [rjɛ̃] pron. (disjunctively) nothing; (conjunctively) anything.
ne … rien (conjunctively) nothing.

rince-doigts [rɛ̃sdwa] n.m. inv. in pl. finger-bowl.

rincer [rɛ̃se] v.tr. to rinse.

ris d'agneau [ridaɲo] n.m. (lamb) sweetbreads.

ris de veau [ridəvo] n.m. (veal) sweetbreads.

riz [ri] n.m. rice.

robe [rɔb] n.f. dress, gown, frock.
robe du soir (lady's) evening dress.
en robe de chambre (of potatoes) in their jackets.

robinet [rɔbinɛ] n.m. (water-)tap.

rognon [rɔɲɔ̃] n.m. kidney.

rond [rɔ̃] adj. & n.m. round.
rond de beurre pat of butter.
rond de pain slice, round of bread.
rond de serviette serviette-ring.

rondelle [rɔ̃dɛl] n.f. small round, roundel.

rose [ro:z] n.f. rose.
adj. inv. in compounds pink.

rosé [roze] adj. pink (wine).

rouge [ru:ʒ] adj. red.

rouget [ruʒɛ] n.m. red mullet.

safran [safrɑ̃] n.m. saffron.

saignant [sɛɲɑ̃] adj. underdone; rare (meat).

salade [salad] n.f. salad.
salade de fruits fruit salad.
salade de homard lobster salad.

saladier [saladje] n.m. salad-bowl.

salaire [salɛ:r] n.m. pay, wage(s).

salarié, -ée [salarje] adj. & n. wage-earning; wage-earner.

sale [sal] adj. dirty.

saler [sale] v.tr. to salt, to season with salt; to pickle; to cure.

salière [saljɛ:r] n.f. salt-cellar.

salir [sali:r] v.tr. to dirty, to soil.

salle [sal] n.f. hall, large room; dining-room (of restaurant); "front shop" of restaurant, as distinct from the restaurant kitchen.
salle à manger dining-room.

salmis [salmi] n.m. game stew.

salon [salɔ̃] n.m. lounge, salon; drawing-room.

salsifis [salsifi] n.m. salsify, oyster-plant.

saluer [salɥe] v.tr. to greet.

samedi [samdi] n.m. Saturday.

sandwich [sɑ̃dwitʃ] n.m. sandwich.

sanglier [sɑ̃glie] n.m. wild boar.

sans [sɑ̃] prep. without.

santé [sɑ̃te] n.f. health.
Bonne santé! Good health!

sarcelle [sarsɛl] n.f. teal.

sardine [sardin] n.f. sardine; pilchard.

sauce [so:s] n.f. sauce.

saucer [sose] v.tr. to sauce, to dip in sauce.

saucière [sosjɛ:r] n.f. sauce-boat.

saucisse [sosis] n.f. sausage.

saucisson [sosisɔ̃] n.m. (large, strongly-flavoured) sausage; cold sausage.

sauf [sof] prep. except.

sauge [so:ʒ] n.f. sage.

saumon [somɔ̃] n.m. salmon.
saumon d'Écosse fumé Scotch smoked salmon.

saupoudrer [sopudre] v.tr. to sprinkle (with salt, sugar, etc.).

savoir [savwa:r] v.tr. to know.

savon [savɔ̃] n.m. soap.

seau [so] n.m. bucket.
seau à frapper, seau à glace ice-bucket, champagne-bucket.
seau à incendie fire-bucket.

sec, sèche [sɛk, sɛʃ] adj. dry.

sécher [seʃe] v.tr. & i. to dry; to become dry.

second, -onde [səgɔ̃, -ɔ̃:d] adj. second.

seconde [səgɔ̃:d] n.f. second (of time).

sel [sɛl] n.m. salt.
sel blanc table salt.

selle [sɛl] n.f. saddle (of lamb, veal).

seltz [sɛls] n.m. soda-water.

semaine [səmɛn] n.f. week.

sens [sɑ̃:s] n.m. sense (e.g. of touch); sense; judgment; sense, meaning; direction (in space).

sentir [sɑ̃ti:r] v.tr. to feel; to be conscious of.
v.i. to taste of, to smell of.
Ce vin sent le bouchon. This wine tastes of cork.

septembre [sɛptɑ̃:br] n.m. September.

série [seri] n.f.   series.
serre [sɛːr] n.f.   greenhouse.
   serre chaude   hothouse.
serrer [sɛre] v.tr.   to squeeze, to clasp; to tighten; to close up (together).
   serrer la main à quelqu'un   to shake someone's hand.
   se serrer la main   (of two or more people) to shake hands.
serveuse [sɛrvøːz] n.f.   waitress.
service [sɛrvis] n.m.   service; serving (of food, drink); service (rendered); duty, shift.
   service de déjeuner   luncheon service.
   service anglais   English service.
   service français   French service.
   service russe   Russian service.
   Qu'y a-t-il pour votre service?   What can I do for you?
   premier service   first sitting, first service (in trains).
serviette [sɛrvjɛt] n.f.   table-napkin; serviette.
servir [sɛrviːr] v.tr. & i.   to serve.
   servir à quelque chose   to be useful for something.
   servir à faire quelque chose   to be useful for doing something.
   servir de   to serve as, to be used as.
   se servir de   to use.
silence [silɑ̃ːs] n.m.   silence.
silencieux, -ieuse [silɑ̃sjø, -jøːz] adj.   silent.
simple [sɛ̃ːpl] adj.   simple.
siphon à eau de seltz [sifɔ̃aodəsɛls] n.m.   soda(-water) siphon.
sirop [siro] n.m.   syrup.
situation [sitɥasjɔ̃] n.f.   situation, position; condition, state; situation, job.
soif [swaf] n.f.   thirst.
   avoir soif   to be thirsty.
soigner [swaɲe] v.tr.   to take care of, to look after; to tend.
soigneusement [swaɲøzmɑ̃] adv.   carefully, with care.
soigneux, -euse [swaɲø, -øːz] adj.   careful, painstaking.
soin [swɛ̃] n.m.   care (charge, responsibility); care, carefulness.
   avec soin   with care.
   avoir soin de   to take care to.
soir [swaːr] n.m.   evening.
soirée [sware] n.f.   evening (usually with the idea of duration of time)
sole [sɔl] n.f.   sole.

sommelier [sɔməlje] n.m.   wine-butler; head wine-waiter.
sonner [sɔne] v.tr. & i.   to sound; to ring (bell).
sonnette [sɔnɛt] n.f.   small bell; hand-bell; door-bell.
sorbet [sɔrbɛ] n.m.   sherbet.
sortie [sɔrti] n.f.   departure, exit, coming out, going out; exit (passage, door); trip, excursion.
   sortie de secours   emergency exit.
sortir [sɔrtiːr] v.i.   to come out, to go out.
   v.tr.   to bring out.
soucoupe [sukup] n.f.   saucer.
soufflé [sufle] n.m.   soufflé.
soulier [sulje] n.m.   shoe.
soupe [sup] n.f.   soup (in general); any soup in which there are pieces of bread or toast.
souper [supe] n.m.   supper.
   v.i.   to have supper.
soupière [supjɛːr] n.f.   soup-tureen.
source [surs] n.f.   source, spring; source, origin.
sous [su] prep.   under, beneath, below.
   sous-, prefix   sub-, under-.
   sous-directeur   assistant manager, under-manager.
sous-sol [susɔl] n.m.   basement.
spécial, -aux [spesjal, -o] adj.   special.
spécialité [spesjalite] n.f.   speciality.
   spécialité de la maison   speciality of the house.
spiritueux, -euse [spiritɥø, -øːz] adj.   spirituous.
   spiritueux   n.m.   spirituous liquor.
sprat [sprat] n.m.   sprat.
stage [staːʒ] n.m.   period of probation; supervised period of practical experience (e.g. of catering student working in industry).
stagiaire [staʒjɛːr] n.m. or f.   probationer; student as described in preceding article.
sterlet [stɛrlɛ] n.m.   sterlet, small sturgeon.
stylo [stilo] n.m.   fountain-pen.
   stylo à bille [stiloabiːj]   ball-point pen.
sucre [sykr] n.m.   sugar.
   sucre cristallisé   granulated sugar.

sucre en morceaux, sucre en tablettes lump sugar.

sucre en poudre castor sugar.

sucrer [sykre] v.tr. to sugar.

sucrier [sykrie] n.m. sugar-basin.

suite [sɥit] n.f. succession, progression; sequel; something which follows another; suite, retinue.

  de suite in succession.

  trois fois de suite (on) three consecutive occasions; three times running.

  tout de suite immediately.

suivre [sɥiːvr] v.tr. to follow (in space); to follow (in time).

  à suivre to be continued.

sujet [syʒɛ] n.m. subject, topic.

  au sujet de about, concerning, on the subject of.

superficie [sypɛrfisi] n.f. surface, area.

supplément [syplemɑ̃] n.m. supplement, addition; extra.

  en supplément adv. phrase in addition, as an extra.

supplémentaire [syplemɑ̃tɛːr] adj. supplementary, additional, extra.

suprême [syprɛm] n.m. most delicate parts, of chicken, fish, etc.

sur [syr] prep. upon, on.

sûr [syːr] adj. sure; safe; certain.

surtout [syrtu] adv. particularly, especially; above all.

surveiller [syrvɛje] v.tr. to supervise, to oversee; to watch over, to keep an eye on.

système [sistɛm] n.m. system; method, scheme.

tabac [taba] n.m. tobacco.

table [tabl] n.f. table.

  petite table small table, side table.

  table d'hôte set meal at fixed price, described on table d'hôte menu.

  à table at table.

  se mettre à table to sit down to table, to sit down to lunch, dinner.

  se lever de table, sortir de table to leave the table.

  petites tables separate tables; separate-table service.

tableau, -eaux [tablo] n.m. picture, painting; board; list, roster.

  tableau de service duty-roster.

tablier [tablie] n.m. apron.

tache [taʃ] n.f. stain, spot.

tâche [taːʃ] n.f. task, duty.

tacher [taʃe] v.tr. to stain, to spot.

tanche [tɑ̃ːʃ] n.f. tench.

tapis [tapi] n.m. carpet.

tapisserie [tapisri] n.f. tapestry.

tarif [tarif] n.m. tariff, price-list.

tarte [tart] n.f. (open) tart).

tartelette [tartlɛt] n.f. tartlet.

tartine [tartin] n.f. slice of bread and butter, bread and jam, etc.

  tartine de confiture(s) slice of bread (, butter) and jam.

tas [tɑ] n.m. pile, heap.

tasse [tas] n.f. cup.

  tasse à café coffee-cup.

  tasse à consommé consommé-cup.

  tasse à thé tea-cup.

  tasse de thé cup of tea.

  en tasse (served) in a cup.

téléphone [telefɔn] n.m. telephone.

téléphoner [telefɔne] v.tr. & i. to telephone.

température [tɑ̃peratyːr] n.f. temperature.

temporaire [tɑ̃pɔrɛːr] adj. temporary.

temps [tɑ̃] n.m. time (in general, as distinct from **heure**, q.v.); weather.

  beau temps fine weather.

  perdre du temps to waste time.

tenir [təniːr] v.tr. & i. to hold.

tenue [təny] n.f. dress, uniform.

  tenue de cuisine kitchen-dress.

  tenue de soirée evening dress.

  tenue de ville morning dress.

tête [tɛːt] n.f. head.

  dîner en tête-à-tête tête-à-tête dinner, intimate dinner for two.

  tête de veau calf's head.

thé [te] n.m. tea; tea-party.

  thé de viande beef-tea.

thon [tɔ̃] n.m. tunny(-fish).

thym [tɛ̃] n.m. thyme.

tiède [tjɛd] adj. tepid; lukewarm.

tiers [tjɛːr] n.m. third, third part.

tilleul [tijœl] n.m. lime-tree; lime-tea.

  infusion de tilleul lime-tea.

tire-bouchon, pl. **tire-bouchons** [tirbuʃɔ̃], n.m. corkscrew.

tirer [tire] v.tr. to draw out, to pull out; to pull off.

tisane [tizan] n.f. infusion, tea.

toast [tɔst] n.m. toasted bread, toast; toast, after-dinner speech.

  toast beurré buttered toast.

  porter un toast to propose a toast.

porter un toast à quelqu'un to propose a toast to someone, to propose someone's health.

toilette [twalɛt] n.f. woman's dress, costume; lavatory, toilet.

tokai, tokay [tɔkɛ] n.m. Tokay.

tomate [tɔmat] n.f. tomato.

tonneau, -eaux [tɔno] n.m. cask, barrel.

topinambour [tɔpinãbuːr] n.m. Jerusalem artichoke.

toque [tɔk] n.f. chef's, cook's hat.

torchon [tɔrʃɔ̃] n.m. duster.

tortue [tɔrty] n.f. (strictly) tortoise; turtle.

    tortue de mer turtle.

    fausse tortue mock turtle (soup).

    tortue claire clear turtle (soup).

toujours [tuʒuːr] adv. always; still.

tour [tuːr] n.m. turn, revolution; turn (in rota, etc.); circuit, round journey.

    à tour de rôle (each) in turn.

tourisme [turism] n.m. tourism; tourist traffic, tourist trade.

touriste [turist] n.m. or f. tourist.

touristique [turistik] adj. touristic, appertaining to tourists or tourist travel.

tourner [turne] v.tr. & i. to turn, to go round.

tout, toute, pl. **tous, toutes** [tu, tut, tu, tut] adj. & adv. (tous as pronoun is pronounced tuːs) all, every; (the) whole; all.

    toute la famille the whole family.

    tout le monde everybody.

    tout pron. everything.

    le tout n. the lot, everything.

    tout adv. quite, completely, entirely.

    tout prêt quite ready.

    tout de suite immediately.

traduire [tradɥiːr] v.tr. to translate.

tranche [trãːʃ] n.f. slice.

trancher [trãʃe] v.tr. to slice.

trancheur [trãʃœːr] n.m. carver.

travail, -aux [travaːj, -o] n.m. work.

travailler [travaje] v.tr. & i. to work; to work at, to shape, to fashion.

tremper [trãpe] v.tr. to dip; to soak, to steep.

très [trɛ] adv. very; much, very much.

tronc [trɔ̃] n.m. collecting-box for tips; the contents of the collecting-box.

tronçon [trɔ̃sɔ̃] n.m. thick slice (of fish, etc.).

trop [tro] adv. too, too much.

    trop cuit overcooked, overdone.

truffe [tryf] n.f. truffle.

truite [trɥit] n.f. trout.

    truite de rivière river trout.

    truite saumonée salmon trout.

turbot [tyrbo] n.m. turbot.

turbotin [tyrbɔtɛ̃] n.m. young turbot.

type [tip] n.m. type; (slang) character, type, chap.

usage [yzaːʒ] n.m. usage; custom, practice.

user [yze] v.tr. to use up; to wear out.

utile [ytil] adj. useful.

utiliser [ytilize] v.tr. to utilize; to make use of.

utilité [ytilite] n.f. utility, use, usefulness.

vacances [vakãːs] n.f.p. holidays, vacation.

    en vacances on holiday, on vacation.

vaisselle [vɛsɛl] n.f. crockery; plates, dishes, etc.; washing-up.

    vaisselle de porcelaine china.

    vaisselle de terre earthenware.

valable [valabl] adj. valid, good; valid, cogent.

valeur [valœːr] n.f. value.

    de valeur of value, valuable.

vanille [vaniːj] n.f. vanilla.

varié [varje] adj. varied; miscellaneous.

vase à fleurs [vɑzaflœːr] n.f. flower vase.

veau, -eaux [vo] n.m. calf; veal.

    veau de lait sucking calf.

velouté [v(ə)lute] n.m. thick soup.

venaison [vənɛzɔ̃] n.f. venison.

vendre [vãːdr] v.tr. to sell.

vendredi [vãdrədi] n.m. Friday.

venir [vniːr] v.i. to come.

vente [vãːt] n.f. sale.

verjus [vɛrʒu] n.m. verjuice.

verre [vɛːr] n.m. glass.

    verre gobelet tumbler.

    verre à liqueur liqueur glass.

    verre à madère sherry glass.

    verre à pied stemmed glass.

verre à grand pied long-stemmed glass.

verre à vin wine glass.

verre de vin glass of wine.

petit verre drop, nip (of spirits).

verrerie [vɛrəri] n.f. glassware.

vers [vɛːr] prep. towards; (in time) towards, about.

verser [vɛrse] v.tr. to pour.

verseuse [vɛrsøːz] n.f. coffee-pot.

vert [vɛːr] adj. & n.m. green.

veste [vɛst] n.f. short (e.g. waiter's) jacket.

vestiaire [vɛstjɛːr] n.m. cloakroom.

veston [vɛstɔ̃] n.m. jacket.

vêtements [vɛtmɑ̃] n.m.pl. clothes, clothing.

viande [vjɑ̃ːd] n.f. meat.

viande blanche white meat.

viande noire brown meat.

viandes froides cold buffet.

vide [vid] adj. empty.

à moitié vide half empty.

vider [vide] v.tr. to empty.

vider à moitié to half empty.

vieux (vieil [vjɛl] before words beginning with a vowel or a mute h), **vieille** [vjø, vjɛːj] adj. old.

vin [vɛ̃] n.m. wine.

vin de table table wine.

vin blanc white wine.

vin rouge red wine.

vin rosé pink wine.

vin mousseux sparkling wine.

vin pétillant semi-sparkling wine.

vin de paille wine made from grapes sun-dried on straw.

vin rouge de Bordeaux claret.

vin blanc du Rhin hock.

vin chambré wine at room-temperature.

vin viné fortified wine.

vinaigre [vinɛːgr] n.m. vinegar.

vinaigrette [vinɛgrɛt] n.f. oil and vinegar dressing.

visite [vizit] n.f. visit.

visiter [vizite] v.tr. to visit.

vite [vit] adv. quickly, rapidly, fast.

vodka [vɔdka] n.f. vodka.

voici [vwasi] prep. here is, here are.

voilà [vwala] demonstrative prep. there is, there are.

voir [vwaːr] v.tr. to see.

voiture [vwatyːr] n.f. trolley.

voiture à entremets sweet-trolley, cold trolley.

voiture à hors d'œuvre hors d'œuvre trolley.

voiture à trancher carving-trolley.

vol [vɔl] n.m. theft.

petits vols n.m.pl. petty theft(s), pilfering.

vol-au-vent [vɔlovɑ̃] n.m. inv. in pl. puff-pastry case (filled with chicken, fish, etc.).

vouloir [vulwaːr] v.tr. to wish, to want; to want to.

whisky [wiski] n.m. whisky.

xérès [gzerɛs] n.m. sherry.

zeste [zɛst] n.m. outer peel (of orange, lemon).

15. VOCABULARY
English - French

to be able to v.i. pouvoir.
absence n. absence, f.
absent adj. absent.
  to be absent s'absenter, v.refl.
to accept v.tr. accepter.
accompaniment n. garniture, f.;
  accompagnement, m.
to accompany v.tr. accompagner.
acquaintance n. connaissance, f.
to add v.tr. ajouter (une chose à
  une autre).
  to add up additionner.
additional adj. supplémentaire.
advertisement n. réclame, f.
  **small advertisement, "small
  ad."** petite annonce, f.
to aerate v.tr. aérer.
aerated adj. aéré.
after prep. après.
afternoon n. après-midi, m. or f.
afterwards adv. après.
against prep. contre.
agreement n. accord, m.
alcohol n. alcool, m.
alcoholic adj. alcoolique.
ale n. bière, f.
  pale ale bière blonde.
  dark ale bière brune.
allspice n. poivron, m.
almond n. amande, f.
almost adv. presque.
already adv. déjà.
always adv. toujours.
among prep. parmi.
anchovy n. anchois, m.
to announce v.tr. annoncer.
answer n. réponse, f.
to answer v.i. répondre.
appetite n. appétit, m.
appetizer n. (alcoholic) apéritif,
  m.; (food) hors d'œuvre, m.
apple n. pomme, f.
  dessert apple pomme à couteau.
appointment n. rendez-vous, m.
apricot n. abricot, m.
April n. avril, m.

apron n. tablier, m.
area n. (=size) superficie, f.;
  dimensions, f.pl.; (=district) région,
  f.
armchair n. fauteuil, m.
aroma n. arome, m.
aromatic adj. aromatique.
artichoke n.
  globe artichoke artichaut, m.
  Jerusalem artichoke topinambour, m.
  Chinese artichoke crosne, m.
article n. article, m.
ash n. cendre, f.
ash-tray n. cendrier, m.
to ask v.tr. demander.
to ask for v.tr. demander.
asparagus n. asperge, f.
  asparagus-tip pointe (f.)
  d'asperge.
  asparagus-tongs pince (f.) à
  asperges.
aspic n. aspic, m.
attention n. attention, f.
  to pay attention to faire attention à; avoir soin de.
August n. août, m.
authority n. autorité, f.; discipline, f.
autumn n. automne, m.
average n. moyenne, f.
  adj. moyen.
bad adj. mauvais.
badly adv. mal.
balance n. (of diet) équilibre, m.
to balance v.tr. (of diet) équilibrer;
  (of accounts) régler.
balloon(-glass) n. ballon, m.
ball-point (pen) n. stylo (m.) à
  bille.
banana n. banane, f.
bank-note n. billet (m.) de banque;
  billet.
banquet n. banquet, m.; festin,
  m.
bar n. bar, m.

barker n. (member of kitchen staff) aboyeur, m.

barley n. orge, f. but occ. m.
  pearl barley orge (m.) perlé.

barman n. barman, m.

barrel n. tonneau, m.; fût, m.

basement n. sous-sol, m.

basin n. bol, m.

basis n. base, f.; fond, m.

basket n. corbeille, f.; panier, m.

to be v.i. être.

bean n. fève, m.; haricot.
  broad bean fève de(s) marais.
  French bean haricot vert.
  haricot bean haricot blanc.

to beat v.tr. battre.

beautiful adj. beau.

beef n. bœuf, m.
  beef-tea thé (m.) de viande.

beefsteak n. bifte(c)k, m.

beer n. bière, f.
  light beer bière blonde.
  dark beer bière brune.

before prep. avant.
  conj. avant que.
  adv. avant, auparavant.

beforehand adv. auparavant; préalablement.

to begin v.tr. & i. commencer.

to begin again v.tr. & i. recommencer.

best adj. (le) meilleur; de première qualité.
  adv. le mieux.

better adj. meilleur.
  adv. mieux.

between prep. entre.

beverage n. breuvage, m.

big adj. grand; gros; haut.

bilingual adj. bilingue.

bill n. addition, f.

to bind v.tr. lier.

bird n. oiseau, m.

biscuit n. biscuit, m.

bitter adj. amer.
  bitter(s) n. amer, m.

black adj. noir.

blackberry n. mûre (de ronce), f.

blackcurrant n. groseille (f.) noire; cassis, m.

blanc-mange n. blanc-manger, m.

blank n. blanc, m.

blue adj. bleu.

boar n.
  wild boar sanglier, m.
  young wild boar marcassin, m.

board n. planche, f.

to boil v.i. bouillir.
  v.tr. faire bouillir.
  to boil over déborder.

bone n. os, m.

to bone v.tr. désosser.

book n. livre, m.

to book v.tr. réserver.

booking n. réservation, f.

boss n. patron, patronne.

bottle n. bouteille, f.

bottle-opener n. décapsulateur, m.; ouvre-bouteilles, m.

bouquet n. (of flowers) bouquet, m.; (of wine) fumet, m.

bowl n. bol, m.; cuvette, f.

box n. boîte, f.; caisse, f.

brace n. (of birds) paire, f.

brain(s) n. cervelle, f.

to braise v.tr. braiser.

braised adj. braisé.

brandy n. eau-de-vie, f.

bread n. pain, m.
  white bread pain blanc.
  brown bread pain bis.
  stale bread pain rassis.

breadcrumbs (for frying, etc.) chapelure, f.; miettes, f.pl.

breadth n. largeur, f.

to break v.tr. casser.

breakage n. casse, f.

breakfast n. petit déjeuner, m.

to breakfast v.i. déjeuner.

bream n. brème, f.

brill n. barbue, f.

to bring v.tr. (person) amener; (object) apporter.

broad adj. large.

broom n. balai.

brown adj. brun.

to brown v.tr. (butter) faire revenir.

brush n. brosse.

to brush v.tr. brosser.

Brussels sprout n. chou (m.) de Bruxelles.

bucket n. seau, m.

buffet n. buffet, m.
  cold buffet buffet froid; viandes (f.p.) froides.

bulb n. (electric light) ampoule, f.

bunch n. (of flowers) bouquet, m.; (of grapes) grappe, f.

bus n. autobus, m.; autocar, m., car, m.

business m. commerce, m.; maison, f., établissement, m.

but conj. mais.

butter n. beurre, m.
  brown butter beurre noisette.
  anchovy butter beurre d'anchois.
to butter v.tr. beurrer.
butter-dish n. beurrier, m.
to buy v.tr. acheter.
cabbage n. chou, m.
  spring cabbage chou de printemps.
café n. café, m.
café-waiter n. garçon de café.
cake n. gâteau, m.
calf n. veau, m.
  sucking calf veau de lait.
to call v.tr. appeler.
  to call again, to call back rappeler.
to cancel v.tr. annuler.
cancellation n. annulation, f.
candelabrum n. candélabre, m.
candle n. chandelle, f.
caper n. câpre, f.
capon n. chapon, m.
caramel n. caramel, m.
to caramelize v.tr. caraméliser.
card n. carte, f.
care n. (attention) soin, m.; (caution) prudence.
careful adj. soigneux; prudent.
carefully adv. soigneusement; prudemment.
carp n. carpe, f.
carpet n. tapis, m.
carrot n. carotte, f.
to carry v.tr. porter.
  to carry away emporter, enlever.
to carve v.tr. découper; trancher.
carving n. découpage, m.
carving-fork n. bident, m.; fourchette (f.) à découper.
carving-knife n. couteau (m.) à découper.
carving-trolley n. voiture (f.) à trancher.
cash n. argent (m.) comptant; monnaie, f.
  petty cash petite monnaie.
cash-desk n. caisse, f.
cash-register n. caisse (f.) enregistreuse.
cask n. fût, m.; tonneau, m.
cauliflower n. chou-fleur, m.
ceiling n. plafond, m.
celery n. céleri, m.
cellar n. cave, f.
cellarman n. caviste.
chafing-lamp n. réchaud, m.

chair n. chaise, f.
  easy chair fauteuil, m.
champagne n. champagne, m.
champagne-bucket n. seau (m.) à frapper, seau à glace, seau à champagne.
champagne-glass n. coupe, f.; flûte, f.
chandelier n. lustre, m.
change n. changement, m., transformation, f.; (coin) monnaie, f.
to change v.tr. changer.
charm n. charme, m.
charming adj. charmant.
check n. contrôle, m.; (voucher, slip) bon, m.
  order-check bon de commande.
to check v.tr. contrôler, régler.
checking n. contrôle, m.
cheese n. fromage, m.
cheese-board n. planche (f.) à fromage(s).
cheese-scoop n. pelle (f.) à fromage.
cheque n. chèque, m.
cherry n. cerise, f.
chestnut n. marron, m.; châtaigne, f.
chicken n. poulet, m.
  corn-fed chicken poulet de grain.
  spring chicken poussin, m.
  spatch-cocked chicken poulet à la crapaudine.
chicory n. chicorée, f.; (vegetable, salad) endive, f.
to chill v.tr. frapper.
chilled adj. frappé.
china n. porcelaine, f., vaisselle (f.) de porcelaine.
chit n. bon, m.
chive n. ciboulette, f.
chocolate n. chocolat, m.
choice n. choix, m.
  adj. de choix, de (première) qualité.
to choose v.tr. choisir.
chub n. chevesne, m.
cider n cidre, m.
cigar n. cigare, m.
cigar-cutter n. coupe-cigares, m.
cigarette n. cigarette, f.
cigarette-lighter n. briquet, m.
cigar-piercer n. perce-cigares, m.
claret n. vin (m.) rouge de Bordeaux.
class n. classe, f.
claw n. (of crab) pince, f.
clean adj. propre.

to clean v.tr. nettoyer.
cleanliness n. propreté, f.
clear adj. clair.
to clear v.tr. (table, sideboard) débarrasser.
to clear away v.i. desservir.
clearing-assistant n. débarrasseur, m.
clerk n. commis, m.; employé, m., employée, f. (de bureau).
client n. client, m., cliente, f.
clientele n. clientèle, f.
cloakroom n. vestiaire, m.
clock n. pendule, f.
  wall clock pendule murale.
to close v.tr. fermer.
closed adj. fermé.
closing n. fermeture, f., clôture, f.
  closing-time heure (f.) de fermeture.
clothes n.pl. vêtements, m.pl.
clothing n. vêtements, m.pl.; tenue, f.
clove n. girofle, m.
  a clove un clou de girofle.
  a clove of garlic une gousse d'ail.
cocktail n. cocktail, m.
cocktail-party n. cocktail.
coco-nut n. noix (f.) de coco.
cod n. morue, f.; (on restaurant menu) cabillaud, m.
coffee n. café, m.
coffee-bean n. grain (m.) de café.
coffee-cup n. tasse (f.) à café.
coffee-mill n. moulin (m.) à café.
coffee-pot n. cafetière, f., verseuse, f.
coffee-spoon n. cuiller (f.) à café, cuillère (f.) à café.
coin n. pièce (f.) de monnaie.
cold adj. froid.
  to be cold (thing) être froid; (person) avoir froid.
collar n. col, m.
  stiff collar col cassé.
colour n. couleur, f.
to come v.i. venir.
  to come in entrer.
  to come out sortir.
  to come again, to come back revenir.
  to come in again rentrer.
  to come out again ressortir.
comfortable adj. (furniture) confortable; (person) à l'aise, à son aise.
to complain v.i. porter plainte.
  to complain about se plaindre de.

complaint n. plainte, f., réclamation, f.
to comprise v.tr. comprendre.
confectionery n. confiserie, f.
connoisseur n. connaisseur, m.
consommé-cup n. tasse (f.) à consommé.
to consume v.tr. consommer, prendre.
consumer n. consommateur, m.
consumption n. consommation, f.
to contain v.tr. contenir.
container n. contenant, m., récipient, m.
content(s) n. contenu, m.
control n. contrôle, m.
convenient adj. commode.
to cook v.i. cuire.
  v.tr. faire cuire.
cookery n. cuisine, f.
  high-class cookery haute cuisine.
cooking n. (process) cuisson, f.
cooking-juice n. jus (m.) de cuisson.
cooking-time n. temps (m.) de cuisson.
cool adj. frais.
copy n. copie, f.; exemplaire, m.
to copy v.tr. copier.
cordial n. cordial, m.
cork n. (bottle-stopper) bouchon, m.; (substance) liège, m.
corn n. grain, m.
  Indian corn maïs, m.
corncrake n. râle (m.) de genêt.
corn-flakes n.pl. flocons (m.pl.) d'avoine.
corn-salad n. mâche, f.
to correct v.tr. (fault) rectifier; (student's work) corriger.
course n. (of study) cours, m.; (of meal) plat, m.
  of course bien entendu.
courteous adj. courtois.
courtesy n. courtoisie, f.
cover n. (set of cutlery, place at table, etc.) couvert, m.; (lid of tureen, etc.) couvercle, m.
to cover v.tr. couvrir.
crab n. crabe, m.
to crack v.tr. casser; fendre.
cream n. crème, f.
cress n. cresson, m.
crockery n. vaisselle, f.
cruet-set n. ménagère, f.
crumb n. miette, f.
crumb-scoop n. ramasse-miettes, f.
to crush v.tr. écraser; piler.

crust n. croûte, f.
crystal n. cristal, m.
cucumber n. concombre, m.
cup n. tasse, f.
  cup of coffee tasse de café.
cupboard n. (on wall) placard, m.; (large) armoire, f.
curry n. kari, m.
currant n. groseille, f.; (dried) raisin (m.) de Corinthe.
curtain n. rideau, m.
custom n. habitude, f.; (trade) commerce, m.; (goodwill) clientèle, f.
customer n. client, m., cliente, f.
to cut v.tr. couper.
  to cut up découper.
cutlery n. coutellerie, f.
cutlet n. côtelette, f.
dab n. carrelet, m., limande,
daily adj. quotidien, journalier.
  daily (newspaper) quotidien, m.
dance-floor n. piste (f.) de danse.
date n. date, f.; (fruit) datte, f.
day n. jour, m.; journée, f.
day-book n. livre (m.) journalier; journal, m.
dear adj. cher.
to decant v.tr. décanter.
decanter n. carafe (f.) à décanter.
decanting n. décantation, f.
December n. décembre, m.
décor n. décor, m.
to decorate v.tr. décorer, orner, parer, garnir.
decorated adj. décoré, orné, garni.
decoration n. décor, m.; parure, f.
delicate adj. délicat.
delicious adj. délicieux.
delightful adj. délicieux; charmant.
description n. description, f.
to deserve v.tr. mériter.
dessert n. dessert, m., entremets, m.
dessert-fork n. fourchette (f.) à entremets, fourchette à dessert.
dessert-knife n. couteau (m.) à dessert, à entremets.
dessert-spoon n. cuiller (f.) à entremets, à dessert.
to detach v.tr. détacher.
to devil v.tr. diabler.
devilled adj. diablé.
diet n. régime, m.
  to be on a diet être au régime.
digest v.tr. digérer.
to dine v.i. dîner.

dining-room n. salle (f.) à manger.
dinner n. dîner, m.
dinner-jacket n. smoking, m.
direction n. (management) direction, f.; (information) avis, m.; (in space) sens, m.
director, n. directeur, m., directrice, f.
dirty adj. sale.
to dirty v.tr. salir.
dish n. plat, m.
to dismantle v.tr. défaire, démonter.
to do v.tr. faire.
doily n. petit napperon, m.
door n. porte, f.
  entrance door, street door porte d'entrée.
door-bell n. sonnette, f.
to draw v.tr. (pull) tirer; (picture), dessiner.
drawer n. tiroir, m.
drawing-room n. salon, m.
dress n. (general) tenue, f., costume, m.; (gown, frock) robe, f.
  evening dress tenue de soirée.
  morning dress tenue de ville.
  kitchen dress tenue de cuisine.
to dress v.tr. (person) habiller; (dish of food) apprêter; (salad) assaisonner, garnir.
  to dress oneself s'habiller.
drink n. boisson, f.; breuvage, m.
  soft drink boisson sucrée.
to drink v.tr. boire.
drop n. (of water, etc.) goutte, f.; (dram) petit verre, m.
to drop v.i. tomber.
  v.tr. laisser tomber.
droplet n. gouttelette, f.
drug n. drogue, f.
dry adj. sec.
to dry v.tr. sécher; (dishes) essuyer.
  v.i. sécher, se dessécher.
duck n. canard, m.; (on restaurant menu, frequently) caneton, m.
  wild duck canard sauvage.
duckling n. caneton, m.
duck-press n. presse, f.
dust n. poussière, f.
to dust v.tr. (furniture) épousseter; (cake, with sugar) saupoudrer.
duster n. torchon, m.
duty n. devoir, m.; service, m.
duty-roster n. tableau (m.) de service.
to earn v.tr. gagner; mériter.

easy adj. facile.
edge n. bord, m.
edging n. bordure, f.
eel n. anguille, f.
  conger eel congre, m.
egg n. œuf, m.
  soft-boiled egg œuf à la coque.
  fairly soft-boiled egg œuf mollet.
  hard-boiled egg œuf dur.
  fried egg (according to style of preparation) œuf sur le plat, œuf frit, etc.
egg-plant n. aubergine, f.
egg-spoon n. cuiller (f.) à œufs, cuillère (f.) à œufs.
electric adj. électrique.
electricity n. électricité, f.
to employ v.tr. (staff) employer; (equipment) employer, utiliser.
employee n. employé, m., employée, f.
employer n. patron, m., patronne, f.; maître, m., maîtresse, f.
empty adj. vide.
to empty v.tr. vider.
end n. (in space) bout, m.; (in time) fin, f.
endive n. (vegetable, salad) chicorée, f.; endive, f.
to engage v.tr. (staff) retenir.
to enlarge v.tr. élargir.
enough adv. assez.
to enter v.i. entrer.
  to enter a room entrer dans une salle.
to entertain v.tr. (receive) recevoir; (amuse) divertir, amuser.
entrance n. entrée, f.
entrée-dish n. plat (m.) à entrées.
entry n. entrée.
error n. erreur, f.; faute, f.
essence n. essence, f.; fumet, m.
to establish v.tr. établir.
establishment n. établissement, m., maison, f.
etiquette n. protocole, m., étiquette, f.
evening n. soir, m.; soirée, f.
everybody pron. tout le monde.
everyday adj. journalier, quotidien, de tous les jours; ordinaire.
everything pron. tout.
everywhere adv. partout.
except prep. sauf.
exit n. sortie, f.
  emergency exit sortie de secours
expense(s) n. frais, m.pl.
  at my expense à mes frais.

extension-piece n. (for restaurant-table) rallonge, f.
extra n. supplément, m.
  as an extra en supplément.
  adj. supplémentaire.
family n. famille, f.
fat adj. gras.
  n. graisse, f.
favourite adj. préféré.
feather n. plume, f.
February n. février, m.
to feel v.tr. & i. sentir.
  v.refl. se sentir.
fennel n. fenouil, m.
few adj. peu de.
  a few quelques-uns, quelques-unes.
fig n. figue, f.
to fill v.tr. remplir.
fillet n. filet, m.
fin n. nageoire, f.
fine adj. fin; (weather, etc.) beau.
finger n. doigt, m.
finger-bowl n. rince-doigts, m.
to finish v.i. prendre fin, finir.
  v.tr. achever, finir; apprêter, garnir.
fire n. feu, m.; incendie, m.
fire-bucket n. seau (m.) à incendie.
fire-extinguisher n. extincteur (m.) d'incendie.
first adj. premier.
  at first d'abord.
  first of all tout d'abord.
fish n. poisson, m.
fish-bone n. arête, f.
fish-fork n. fourchette (f.) à poisson.
fish-knife n. couteau (m.) à poisson.
fizzy adj. pétillant.
flame n. flamme, f.
to flame v.tr. flamber.
flat adj. plat.
flesh n. chair, f.
floor n. plancher, m.; parquet, m.; carrelage, m.
florist n. fleuriste, m. or f.
flounder n. flet, m., carrelet, m.
flower n. fleur, f.
flute n. flûte, f.
fold n. pli, m.
to fold v.tr. plier.
food n. nourriture, f.
foot n. pied, m.
for conj. car.
  prep. pour.
forcemeat n. farce, f.

foreign adj. étranger.
foreigner n. étranger, m., étrangère, f.
forename n. prénom, m.
to forget v.tr. oublier.
fork n. fourchette, f. (see under **fourchette**).
form n. forme, f.
to form v.tr. former.
former adj. ancien.
formerly adv. anciennement.
fountain-pen n. stylo, m.
franc n. franc, m.
free adj. (unrestricted) libre; (costing nothing) gratuit.
to freeze v.tr. & i. geler.
fresh adj. frais; nouveau.
Friday n. vendredi, m.
fried adj. frit.
fritter n. beignet, m.
frog n. grenouille, f.
frothy adj. mousseux.
fruit n. fruit, m.
  fresh fruit fruits frais.
fruit-bowl, fruit-dish n. compotier, m.
fry v.tr. & i. frire.
frying-pan n. poêle, f.
full adj. plein; (having no more accommodation to offer) complet.
to furnish v.tr. (room) meubler; (supply) fournir.
furniture n. mobilier, m.; meubles, m.pl.
game n. gibier, m.
  furred game gibier à poil.
  feathered game gibier à plumes.
garlic n. ail, m.
  a clove of garlic une gousse d'ail.
  a touch of garlic une pointe d'ail.
garnish n. garniture, f.
to garnish v.tr. garnir.
garnished adj. garni.
gastronome(r) n. gastronome, m.
gastronomic adj. gastronomique.
gastronomy n. gastronomie, f.
to gather v.tr. ramasser.
general adj. général.
gentleman n. monsieur.
gherkin n. cornichon, m.
gin n. genièvre, m., gin, m.
ginger n. gingembre, m.
to give v.tr. donner.
  to give back rendre.
gift n. cadeau, m.
glass n. verre, m.
  liqueur glass verre à liqueur.
  sherry-glass verre à madère.

stemmed glass verre à pied.
long-stemmed glass verre à grand pied.
wine-glass verre à vin.
  a glass of wine un verre de vin.
glassful n. plein verre, m.
glassware n. verrerie, f.
glaze n. glace, f.
to glaze v.tr. glacer.
glutton n. gourmand, m., gourmande, f.
to go v.i. aller.
  to go in entrer.
  to go out sortir.
  to go up monter.
  to go down descendre.
good adj. bon.
good-bye interj. au revoir.
goodwill n. clientèle, f.
goose n. oie, f.
gooseberry n. groseille (f.) à maquereau; groseille verte.
gourmand n. gourmand, m.; gourmande, f.
gourmet n. gourmet, m.
gram n. gramme, m.
grape n. grain (m.) de raisin.
grapefruit n. pamplemousse, m. or f.
to grate v.tr. râper.
to gratinate v.tr. gratiner.
gratinated adj. gratiné.
gratuity n. pourboire, m.
gravy n. jus (du rôti) m.
grease n. graisse, f.
grease-proof adj. imperméable à la graisse.
great adj. grand.
greedy adj. gourmand; glouton.
green adj. vert.
greengage n. reine-Claude, f.
greenhouse n. serre, f.
to greet v.tr. saluer; accueillir.
grenadine (syrup) n. grenadine, f.
grey adj. gris.
grill n. (as served in restaurant) grillade, f.
to grill v.tr. griller.
grilled adj. grillé.
to grind v.tr. moudre; piler.
group n. groupe, m.
grouse n. cannot be translated into French.
gudgeon n. goujon, m.
guest n. invité, m., invitée, f.
guinea-fowl n. pintade, f.
  young guinea-fowl pintadeau, m.
gulp n. gorgée, f.

habit n. habitude, f.
haddock n. aiglefin, m., aigrefin, m.
half n. moitié, f.
  adj. demi-.
half-empty adj. à moitié vide.
to half-empty v.tr. vider à moitié.
half-litre n. demi-litre, m.
half-lobster n. demi-homard, m.
halibut n. flétan, m.
hall n. (large room, public room) salle, f.; (entrance) hall, m.; vestibule, m.
ham n. jambon, m.
hand n. main, f.
  left hand main gauche.
  right hand main droite.
hand-bell n. sonnette, f.
to hang v.tr. (game) faisander.
hare n. lièvre, m.
  jugged hare civet (m.) de lièvre.
haunch n. cuissot, m.; hanche, f.
hazel-grouse, hazel-hen n. gelinotte, f.
hazel-nut n. noisette, f.
head n. tête, f.
  boar's head hure (f.) de sanglier.
  calf's head tête de veau.
health n. santé, f.
  good health! à votre santé!
to hear v.tr. entendre.
heart n. cœur, m.
heat n. chaleur, f.
to heat v.tr. chauffer.
heating n. chauffage, m.
  central heating chauffage central.
herb n. herbe, f.
  sweet herbs fines herbes.
herring n. hareng, m.
high adj. haut; (game) faisandé.
  to get high se faisander.
hock n. vin (m.) blanc du Rhin.
to hold v.tr. tenir.
holiday(s) n. vacances, f.pl.
  on holiday en vacances; (away from home) en villégiature.
hollow adj. creux.
honest adj. honnête.
honesty n. honnêteté, f.
honey n. miel, m.
hors d'œuvre n. hors d'œuvre, m.
  hors d'œuvre dish ravier, m.
horse-radish n. raifort, m.
host n. hôte.
hostess n. hôtesse.
hot adj. chaud.
hotel n. hôtel, m.
hotelier n. hôtelier, m., hôtelière, f.

hothouse n. serre (f.) chaude.
hot-plate n. (on sideboard) réchaud, m.
house n. maison, f.
how adv. comment.
  how many? how much? combien?
  how many people? combien de gens?
hung adj. (game) faisandé.
hunger n. faim, f.
to be hungry v.i. avoir faim.
ice n. glace.
to ice v.tr. glacer.
ice-bucket n. seau (m.) à frapper, seau à glace.
ice-cream n. crème (f.) glacée, glace, f.
  vanilla ice-cream glace à la vanille.
ice-cube n. glaçon, m.
ice-pick n. poinçon (m.) à glace.
ice-pudding n. bombe (f.) glacée.
ice-tongs n. pince (f.) à glace.
icing n. glace, f.
ill adj. malade.
illness n. maladie, f.
immediately adv. tout de suite.
importance n. importance, f.
important adj. important.
impressive adj. impressionnant.
to include v.tr. comprendre.
included adj. compris.
industry n. industrie, f.
to inform v.tr. renseigner.
information n. renseignement(s), m.
infusion n. tisane, f., infusion, f.
ingredient n. ingrédient, m.
inn n. auberge, f.
inside n. intérieur.
  adj. intérieur.
instant n. instant, m.
interesting adj. intéressant.
interior n. intérieur, m.
  adj. intérieur.
to introduce v.tr. (guests) présenter.
introduction n. présentation, f.
inventory n. inventaire, m.
invitation n. invitation, f.
to invite v.tr. inviter.
item n. article, m.
jacket n. veston, m.
  short (waiter's) jacket veste, f.
jam n. confiture, f.
jam-dish, jam-pot n. confiturier, m.

January n. janvier, m.
jelly n. gelée, f.
  red-currant jelly gelée de groseille(s).
job n. emploi, m., situation, f.; travail, m.
jug n. cruchon, m., pot, m.
juice n. jus, m.
July n. juillet, m.
June n. juin, m.
juniper n. genièvre, m.
to keep v.tr. (hotel) tenir; garder, tenir.
  to keep back retenir, tenir en réserve.
kernel n. noyau, m.
kidney n. rognon, m.
kitchen n. cuisine, f.
knife n. couteau, m. (*see under* couteau).
knot n. nœud, m.
to know v.tr. savoir; connaître.
knowledge n. connaissance, f.; savoir, m.
kohl-rabi n. chou-rave, m.
Kosher adj. cachir.
kromesky n. cromesquis, m.
label n. étiquette, f.
lack n. manque, m.; (total lack) absence, f.
to lack v.i. manquer.
ladle n. louche, f.
lamb n. agneau, m.
  salt-meadow lamb pré-salé, m.
lamp-shade n. abat-jour, m.
landrail n. râle (m.) de genêt.
large adj. grand; gros.
lark n. alouette, f.; (in season) mauviette, f.
laurel n. laurier, m.
lavatory n. cabinet (m.) de toilette; lavabo, m.; water-closet, m.
law n. loi, f.
to lay v.tr. poser; mettre.
  to lay the table mettre le couvert; mettre la nappe.
  to lay up mettre.
  to lay up again remettre.
leaf n. feuille, f.
lean adj. maigre.
leather n. cuir, m.
to leave v.i. partir.
  v.tr. laisser; quitter.
leek n. poireau, m.
lees n. lie, f.
left adj. gauche.
  n. gauche, f.

  to the left à gauche.
left-overs n. restes, m.pl.
leg n. jambe, f.; gigot, m.; cuisse, f.
  frog's leg cuisse de grenouille.
lemon n. citron, m.
lemonade n. citronnade, f.; limonade, f.
  fizzy lemonade limonade gazeuse.
lemon-squeezer n. presse-citrons, m.
to lend v.tr. prêter.
length n. longueur, f.
to lengthen v.tr. rallonger.
less adv. moins.
  prep. moins.
  n. moins, m.
lettuce n. laitue, f.
  cos lettuce laitue romaine, romaine, f.
  lamb's lettuce mâche, f.
leveret n. levraut, m.
lid n. couvercle, m.
light adj. (weight) léger; (colour) clair.
  n. lumière, f.
  Will you give me a light? Voulez-vous me donner du feu?
to light v.tr. (fire, cigarette) allumer; (room) éclairer.
lighter n. briquet, m.
lighting n. éclairage, m.
lime n.
  sweet lime lime, f.
  sour lime limon, m.
lime-tea n. infusion (f.) de tilleul, tilleul, m.
linen n. linge, m.
liqueur n. liqueur, f.
liqueur-glass n. verre (m.) à liqueur, petit verre.
liquor n. alcool, m.; boisson (f.) alcoolique.
liste n. liste, f.
to listen v.i. écouter.
  to listen to v.tr. écouter.
little adj. petit.
  adv. peu.
  n. peu, m.
liver n. foie, m.
  chicken's liver foie de volaille.
loaf n. pain, m.
loan n. prêt, m.
lobster n. homard, m.
  Norway lobster langoustine, f.
lobster-fork n. fourchette (f.) à homard.
loin n. (of pork) longe, f.
long adj. long.

to look at v.tr. regarder.
to look for v.tr. chercher.
lot n. beaucoup (*see under* **beau-coup**).
loud adj. fort.
loudly adv. fort.
lounge n. salon, m.
lukewarm adj. tiède.
lunch n. déjeuner, m.
to lunch v.i. déjeuner.
mace n. macis, m.
mackerel n. maquereau, m.
Madeira n. madère, m.
main adj. principal; le plus impor-tant.
to make v.tr. faire.
man n. homme.
management n. direction, f.
manager n. gérant, directeur.
manageress n. gérante, directrice.
manner n. manière, f., façon, f.
marmalade n. marmelade, f.
March n. mars, m.
marrow n. (animal) moelle, f.; (vegetable) courgette, f.
   marrow-bone os (m.) à moelle.
master n. maître.
match n. (lucifer) allumette, f.
material n. matière, f.
   raw materials matières premières.
mature adj. mûr.
May n. mai, m.
meal n. repas, m.
   a four-course meal un repas de quatre plats.
   a meatless meal un repas maigre.
means n. moyen(s), m.
meat n. viande, f.
   white meat viande blanche.
   brown meat viande noire.
medium adj. moyen.
medlar n. nèfle, f.
to meet v.tr. rencontrer.
   v.i. se rencontrer; se réunir.
meeting n. (by chance) rencontre, f.; (by design) réunion, f.
meeting-place n. rendez-vous, m.
melon n. melon, m.
to melt v.tr. & i. fondre.
melted adj. fondu.
menu n. menu, m.
menu-card n. carte (de restaurant), f.
meringue n. meringue, f.
method n. méthode, f.
middle adj. moyen.
   n. milieu, m.

milk n. lait, m.
milk-jug n. pot (m.) à lait.
mill n. moulin, m.
mineral-water n. eau (f.)minérale.
mint n. menthe, f.
minute n. minute, f.
mirror n. miroir, m., glace, f.
misfortune n. malheur, m.
mistake n. erreur, f.
to mix v.tr. mélanger.
mixture n. mélange, m.
modern adj. moderne.
Monday n. lundi, m.
money n. argent, m.
month n. mois, m.
more adv. plus; de plus.
   n. or pron. plus; plus de.
   more than plus que; (with quantities) plus de.
   more than thirty people plus de trente personnes.
morel n. morille, f.
morning n. matin, m.; matinée, f.
mould n. moule, m.
mouth n. bouche, f.
mouthful n. bouchée, f.
to move v.i. bouger, se déplacer.
   v.tr. déplacer.
much adv. & pron. beaucoup.
mullet n. mulle, m.
   red mullet rouget, m.
mushroom n. champignon, n.
music n. musique, f.
mussel n. moule, f.
mustard n. moutarde, f.
mustard-pot n. moutardier, m.
mustard-spoon n. cuiller (f.) à moutarde, cuillère (f.) à moutarde; pelle (f.) à moutarde.
mutton n. mouton, m.
name n. nom, m.
   Christian name prénom, m.
to name v.tr. nommer.
nasturtium n. capucine, f.
national adj. national.
natural adj. naturel.
nearby adj. proche, voisin.
nearest adj. prochain; le plus proche.
nearly adv. presque.
necktie n. cravate, f.
need n. besoin, m.
to need v.tr. avoir besoin de.
net n. filet, m.
never adv. jamais (*see under* **jamais**).
new adj. nouveau; neuf.

news n. nouvelles, f.pl.; informations, f.pl.

next adj. prochain; suivant.

night n. nuit, f.

    night-club boîte (f.) de nuit.

non-alcoholic adj. non alcoolisé.

non-smoker n. non-fumeur, m.

noodles n. nouilles, f.pl.

    small noodles nouillettes, f.pl.

nothing pron. rien (see under **rien**).

notice n. avis, m.; affiche, f. v.tr. remarquer, observer.

nougat n. nougat, m.

November n. novembre, m.

now adv. maintenant; à présent.

number n. (of table, room) numéro, m.; nombre, m.; quantité, f.

    even number nombre pair.

    odd number nombre impair.

numerous adj. nombreux.

nut n. noyau, m.

nut-crackers n. casse-noisette(s), m.

nutmeg n. muscade, f.

occupation n. emploi, m.; situation, f.

occupied adj. occupé.

to occupy v.tr. occuper.

October n. octobre, m.

to offer v.tr. offrir.

office n. bureau.

oil n. huille, f.

oil-and-vinegar (dressing) n. vinaigrette, f.

    oil-and-vinegar cruet mènagère, f., huilier, m.

old adj. vieux.

olive n. olive, f.

omelet, omelette n. omelette, f.

once adv. une fois.

    at once (simultaneously) à la fois; (immediately) tout de suite.

onion n. oignon, m.

    spring onion; Welsh onion n. ciboule, f.

open adj. ouvert.

to open v.tr. ouvrir.

opening n. ouverture.

    opening-hours heures (f.pl) d'ouverture.

operation n. opération, f.

orange n. orange, f.

    Seville orange bigarade, f.

orangeade n. orangeade, f.

orchestra n. orchestre, m.

order n. ordre, m.; commande, f.

order-check bon (m.) de commande.

to order v.tr. & i. ordonner; commander.

ordinary adj. ordinaire.

other adj. autre.

otherwise adv. autrement; autrement dit.

oven n. four, m.

overcooked, overdone adj. trop cuit.

to overflow v.i. déborder.

overtime n. heures (f.pl.) supplémentaires, heures hors cloche.

to owe v.tr. devoir.

to own v.tr. posséder.

ox n. bœuf, m.

ox-tongue n. langue (f.) de bœuf.

oyster n. huître, f.

oyster-catcher n. bécasse (f.) de mer.

oyster-fork n. fourchette (f.) à huîtres.

oyster-knife n. couteau (m.) à huîtres; ouvre-huîtres, m.

oyster-plant n. salsifis, m.

page n. page, f.

page, page-boy n. page, m.

painting n. peinture, f.; tableau, m.

pancake n. crêpe, f.

paper n. papier, m.

paprika n. paprika, m.

parquet, parquet-flooring n. parquet, m.

parsley n. persil, m.

parsnip n. panais, m.

partridge n. perdrix (f.); (on restaurant menu, frequently) perdreau (m.).

    young partridge perdreau, m.

to pass v.tr. passer.

paste n. pâte, f. (see under **pâte**).

pastry n. pâtisserie, f.

patron n. client, m.; cliente, f.

to patronize v.tr. fréquenter.

to pay v.tr. & i. payer.

    to pay for payer.

pea n. pois, m.

    garden pea petit pois.

peanut n. cacahuète, f., cacahouette, f.

pear n. poire, f.

pearl-barley n. orge (m.) perlé.

peel n. écorce, f., zeste, m.

    orange peel écorce d'orange, zeste d'orange.

to peel v.tr. peler.

pen n. stylo, m.
  ball-point pen stylo à bille.
pencil n. crayon, m.
people n. gens, m. or f.pl. (*see under* gens).
pepper n. poivre, m.
  white pepper poivre blanc.
  black pepper poivre noir.
  Cayenne pepper poivre de Cayenne.
peppercorn n. grain (m.) de poivre.
pepper-mill n. moulin (m.) à poivre.
pepper-pot n. poivrière, f.
perch n. perche, f.
percolator n. percolateur, m.
perfume n. parfum, m.
perhaps adv. peut-être.
person n. personne, f.
personal adj. personnel.
personnel n. personnel, m.
pheasant n. faisan, m.
to pick up v.tr. ramasser.
picture n. tableau, m.; peinture, f.; image, f.
pie n. pâté, m.
piece n. morceau, m.; pièce, f.; bout, m.
  a piece of string un bout de ficelle.
pigeon n. pigeon, m.
pike n. brochet, m.
pilchard n. sardine, f.
pile n. tas, m.
to pile up v.tr. entasser.
pimento n. piment, m.
pinch n. pincée, f.
pineapple n. ananas, m.
pink adj. rose; (wine) rosé, gris.
pint n. pinte, f.
pipe n. pipe, f.; (**water-, gas-**) tuyau, m.
place n. place, f.; lieu, m., endroit, m.
to place v.tr. placer, mettre; poser.
plaice n. plie, f.
plain adj. simple.
plate n. assiette, f.; (silver) argenterie, f.
please interj. s'il vous plaît.
to please v.tr. plaire, v.i.
  to please someone plaire à quelqu'un.
pleasure n. plaisir, m.
plover n. pluvier, m.
plum n. prune, f.
  mirabelle plum mirabelle, f.

to poach v.tr. pocher.
poached adj. poché.
pocket n. poche, f.
point n. point, m.; (tip) pointe, f.
to point to v.tr. indiquer du doigt.
police n. police, f.
polish n. cirage, m.
to polish v.tr. cirer; polir.
polished adj. ciré; poli.
polishing n. cirage, m.
polite adj. poli, courtois.
politeness n. politesse, f.; courtoisie, f.
pomegranate n. grenade, f.
porcelain n. porcelaine, f.
pork n. porc, m.
port n. porto, m.
potato n. pomme (f.) de terre; (on menu) pomme.
  sweet potato patate, f.
pound n. (sterling, weight) livre, f.
to pound v.tr. piler.
to pour v.tr. verser.
powder n. poudre, f.
practical adj. pratique.
practice n. pratique, f.; expérience, f.
prawn n. crevette (f.) rouge, rose.
to prefer v.tr. préférer.
preference n. préférence, f.
preparation n. préparation, f.; préparatifs, m.pl.
to prepare v.tr. préparer; dresser; apprêter.
present adj. présent; (current) actuel.
to present v.tr. présenter.
presentation n. présentation, f.
press n. presse, f.
pretty adj. joli.
previously adv. préalablement; auparavant.
price n. prix, m.
price-list n. tarif, m.
principal adj. principal.
private adj. privé, particulier.
prize n. prix, m.
profit n. bénéfice, m.; profit, m.
to profit v.i. profiter.
programme n. programme, m.
promotion n. avancement, m.
  promotion by selection avancement par choix.
  promotion by seniority avancement par ancienneté.
proprietor n. propriétaire, m. or f.
to provide v.tr. fournir.
prune n. pruneau, m.

public adj. public.
  n. public, m.
puff-pastry n. pâte (f.) feuilletée.
to pull v.tr. tirer.
pumpkin n. potiron, m.
purchase n. achat, m.
to purchase v.tr. acheter.
to put v.tr. mettre; placer, poser.
  to put away (in cupboard) ranger.
quail n. caille, f.
quality n. qualité, f.
quantity n. quantité, f.
quarter n. quart, m.; (district)
  quartier, m.
question n. question, f.
queue n. queue, f.
quick adj. rapide.
quickly adv. vite, rapidement.
quince n. coing, m.
rabbit n. lapin, m.
  wild rabbit lapin de garenne.
  young rabbit lapereau, m.
radish n. radis, m.
raisin n. raisin (m.) sec.
rapid adj. rapide.
rapidly adv. rapidement.
raspberry n. framboise, f.
raw adj. cru.
ray n. raie, f.
to read v.tr. lire.
ready adj. prêt.
receipt n. acquit, m.
to receipt v.tr. acquitter.
  to receipt the bill acquïtter
  l'addition.
to receive v.tr. recevoir.
reception n. réception, f.; accueil,
  m.
recipe n. recette, f.
to recommend v.tr. recommander.
to rectify v.tr. rectifier.
red adj. rouge.
redcurrant n. groseille (f.) rouge.
refrigerator n. réfrigérateur, m.
regular adj. régulier; habituel.
regulation n. règlement, m.
to reheat v.tr. réchauffer.
re-lay n. remise, f.
to re-lay v.tr. & i. remettre.
to remain v.i. rester.
remains n. restes, m.pl.
to replace v.tr. remplacer; replacer; ranger.
reply n. réponse, f.
to reply v.i. répondre.
request n. demande, f.
to request v.tr. demander; prier.
reservation n. réservation, f.

to reserve v.tr. réserver.
reserved adj. réservé.
restaurant n. restaurant, m.
restaurateur n. restaurateur, m.,
  restauratrice, f.
return n. retour, m.
to return v.i. revenir; rentrer.
  v.tr. retourner.
rib n. côte, f.
rice n. riz, m.
right adj. droit; (correct) exact.
  n. droite, f.; (privilege, etc.) droit,
  m.
  to the right à droite.
rind n. écorce, f.
to ring v.tr. & i. sonner.
to rinse v.tr. rincer.
ripe adj. mûr.
roach n. gardon, m.
roe n. œufs (m.) de poisson.
  soft roe laitance, f., laite, f.
roebuck n. chevreuil, m.
roll n. (of bread) petit pain, m.
room n. salle, f.; pièce, f.; place, f.
roster n. tableau, m.
round adj. rond.
  n. rond, m.
roundel n. rondelle, f.
rule n. règle, f.
rum n. rhum, m.
rustless adj. inoxydable.
saddle n. (of lamb) selle, f.; (of
  hare) râble, m.
saffron n. safran, m.
sage n. sauge, f.
salad n. salade, f.
  fruit salad salade de fruits.
  lobster salad salade de homard.
salad-bowl n. saladier, m.
salad-plate n. assiette (f.) à salade.
salary n. traitement, m.; appointe-
  ments, m.pl.
sale n. vente, f.
salmon n. saumon, m.
  Scotch smoked salmon saumon
  d'Écosse fumé.
salsify n. salsifis, m.
  black salsify scorsonère, f.,
  scorzonère, f.
salt n. sel, m.
  table salt sel blanc.
to salt v.tr. saler.
salt-cellar n. salière, f.
salt-spoon n. cuiller (f.) à sel,
  cuillère (f.) à sel; pelle (f.) à sel.
salver n. plateau (m.) d'argent.
sample n. échantillon, m.; essai, m.
sandwich n. sandwich, m.

sardine n. sardine, f.

Saturday n. samedi, m.

sauce n. sauce, f.

to sauce v.tr. saucer.

sauce-boat n. saucière, f.

saucepan n. casserole, f.

saucer n. soucoupe, f.

sauerkraut n. choucroute, f.

sausage n. saucisse, f.; saucisson, m.

to say v.tr. dire.

scale n. (of fish) écaille, f.; (of prices) échelle, f.

to scale v.tr. écailler.

scallion n. ciboule, f.

school n. école, f.
   hotel school école hôtelière.

scissors n. ciseaux, m.pl.

scollop (=scallop) n. escalope, f.; coquille (f.) (de) Saint-Jacques.

scollop-shell n. coquille (f.) (de) Saint-Jacques.

to scramble v.tr. brouiller.

scrambled adj. brouillé.

season n. saison, f.

to season v.tr. assaisonner.

seasoning n. assaisonnement, m.

seat n. place, f.; siège, m.

seated adj. assis.

seating-accommodation n. places (f.pl.) assises.

seating-arrangement n. allocation (f.) des places, allocation des sièges.

sea-urchin n. oursin, m.

second adj. second, deuxième. n. seconde, f.

section n. partie, f.

to see v.tr. voir.
   to see again revoir.

to sell v.tr. vendre.

seller n. vendeur, m., vendeuse, f.

semi-sparkling adj. pétillant.

seniority n. ancienneté, f.

sense n. sens, m.
   common sense sens commun, bon sens.

September n. septembre, m.

series n. série, f.

to serve v.tr. servir.

service n. service, m. (*see under* service).

serviette n. serviette, f.

to set up v.tr. établir; dresser.

to settle v.tr. (debt) régler.

to shake v.tr. agiter.

shallot n. échalote, f.

shape n. forme, f.

to shape v.tr. former; travailler.

sharp adj. (blade) tranchant; (point) aigu; (liquid) aigre; (sauce) piquant.

to sharpen v.tr. aiguiser.

shelf n. planche, f.

shell n. coquille, f.; (of full egg) coque, f.

sherbet n. sorbet, m.

sherry n. xérès, m.

shirt n. chemise, f.

shoe n. chaussure, f., soulier, m.

shortage n. manque, m.

to show v.tr. montrer; démontrer.

shrimp n. crevette (f.) grise.

side n. côté, m.

sideboard n. buffet, m.

silence n. silence, m.

silent adj. silencieux.

silver n. argent, m.

silverware n. argenterie, f.; vaisselle (f.) d'argent.

sip n. petite gorgée, f.

to sip v.tr. boire à petites gorgées; déguster.

siphon n. siphon, m.

soda(-water) siphon siphon à eau de seltz.

sippet n. croûton, m.

sirloin n. (of beef) aloyau, m.

to sit (down) v.i. s'asseoir.
   Please sit down. Asseyez-vous, je vous en prie.

size n. dimension(s), f., grandeur, f.; (person) taille, f.

skate n. raie, f.

skewer n. brochette, f.

to skin v.tr. écorcher, dépouiller; (fruit) peler, éplucher.

slice n. tranche, f.

to slice v.tr. trancher.

slip-cloth n. napperon, m.

slow adj. lent.

slowly adv. lentement.

small adj. petit.

smell n. odeur, f.; arome, m.; parfum, m.; fumet, m.

to smell v.tr. & i. sentir.
   to smell of smoke sentir la fumée.

smelt n. éperlan, m.

smoke n. fumée, f.

to smoke v.tr. fumer.

smoked adj. fumé.

smoker n. fumeur, m.

smooth adj. lisse.

snail n. escargot, m.

snail-dish n. escargotière, f.

snail-fork, n.   fourchette (f.) à escargots.

snail-tongs n.   pince (f.) à escargots.

snipe n.   bécassine, f.

to soak v.tr.   tremper.

soap n.   savon, m.

sock n.   chaussette, f.

soda-water, soda n.   eau (f.) de seltz, seltz, m.

soft adj.   mou; doux.
   fairly soft   mollet.

sole n.   sole, f.
   lemon sole n.   limande sole, f.

some adj.   quelques; des.

somebody, someone   pron. quelqu'un, m., quelqu'une, f.

something n. or pron.   quelque chose, m.

sometimes adv.   quelquefois.

somewhere adv.   quelque part.

soon adv.   bientôt.

sorrel n.   oseille, f.

soupe n.   soupe, f., potage, m.; consommé, m.; crème, f.; velouté, m.; purée, f.; bisque, f.

soup-ladle n.   louche, f.

soup-plate n.   assiette (f.) à potage; assiette creuse.

soup-spoon n.   cuiller (f.) à bouche, cuillère (f.) à bouche; cuiller à soupe, cuillère à soupe.

soup-tureen n.   soupière, f.

sour adj.   aigre.

sparkling adj.   mousseux; gazeux.

spatch-cocked adj.   à la crapaudine.

to speak v.i.   parler.

special adj.   spécial.

speciality n.   spécialité, f.

speech n.   discours, m.; parole, f.
   after-dinner speech   discours d'après-dîner.

to spend v.tr.   (money) dépenser; (time) passer.

spice n.   épice, f.

to spill v.tr.   répandre.

spinach n.   épinard, m.
   leaf spinach   épinards en feuilles, épinards en branches.

spirit n.   alcool, m.; spiritueux, m.pl.

spit n.   broche, f.

spot n.   tache, f.; place, f.; lieu, m., endroit, m.

spoon n.   cuiller, f., cuillère, f. (see under **cuiller**).

spoonful n.   cuillerée, f.

sprat n.   sprat, m., esprot, m.,

harenguet, m., melet, m., melette, f., anchois (m.) de Norvège.

to spread v.tr.   répandre.

to sprinkle (with) v.tr.   (salt, sugar) saupoudrer (de).

spring m.   printemps, m.
   in (the) spring   au printemps.
   spring-like, of the spring   printanier, adj.

square adj.   carré.
   n.   carré, m.

to squash v.tr.   écraser; presser.
   lemon-squash   citron (m.) pressé.

to squeeze v.tr.   presser; serrer.

squeezed adj.   pressé; serré.

squeezer n.   presse, f.

staff n.   personnel, m.; brigade, f. (restaurant) **relief staff**   garde, f.

stain n.   tache, f.

stain-remover n.   détacheur, m.

stainless adj.   inoxydable.

to start v.tr. & i.   commencer.
   to start again   recommencer.

station n.   (restaurant) rang, m.

steel n.   acier, m.
   stainless steel   acier inoxydable.

step n.   (of staircase) marche, f.; pas, m.
   Mind the step.   Attention à la marche!

sterlet n.   sterlet, m.

still adj.   tranquille; immobile; (wine) non mousseux.
   adv.   toujours.

still-room n.   office, f.

to stir v.tr.   remuer.

straw n.   paille, f.
   cheese straw   paille au parmesan.

strawberry n.   fraise, f.
   wild strawberry   fraise des bois.

string n.   ficelle, f.

strong adj.   fort.

strongly adv.   fort.

student n.   étudiant, m., étudiante, f.
   catering student   étudiant hôtelier, étudiante hôtelière.

to stuff v.tr.   farcir.

stuffed adj.   farci.

stuffing n.   farce, f.

sturgeon n.   esturgeon, m.

subject n.   sujet, m.

sucking-calf n.   veau (m.) de lait.

sucking-pig n.   cochon (m.) de lait.

sugar n.   sucre, m.
   granulated sugar   sucre cristallisé.
   castor sugar   sucre en poudre.

lump sugar sucre en morceaux, sucre en tablettes.

brown sugar cassonade, f.

Demerara sugar cassonade en gros cristaux.

to sugar v.tr. sucrer.

sugar-basin n. sucrier, m.

sugar-tongs n. pince (f.) à sucre.

sultana n. raisin (m.) de Smyrne.

summary n. résumé, m.

summer n. été, m.

Sunday n. dimanche, m.

to supervise v.tr. surveiller.

supervisor n. surveillant, m., surveillante, f.

supper n. souper, m.

surname n. nom (m.) de famille.

to surround v.tr. entourer; border.

swede n. navet (m.) de Suède, navet suédois, chou-navet, m.

to sweep v.tr. balayer.

sweet adj. doux; sucré.
n. entremets, m., dessert, m.

sweetbread n. ris (m.) de veau, ris d'agneau.

to switch off v tr. & i. éteindre; fermer.

to switch on v.tr. & i. ouvrir; allumer.

swizzle-stick n. fouet (m.) à champagne.

syrup n. sirop, m.

system m. système, m.

table n. table, f.
side table petite table.

table-cloth n. nappe, f.

table-fowl n. poularde, f.

table-linen n. linge (m.) de table.

table-napkin n. serviette, f.

tablespoon n. cuiller (f.) à bouche, à soupe, cuillère (f.) à bouche, à soupe.

tablespoonful n. cuillerée (f.) à bouche.

table-wine n. vin (m.) de table.

tail n. queue, f.

to take v.tr. prendre.
to take away v.tr. emporter, enlever.
to take out v.tr. sortir.

to talk v.i. parler.

tangerine n. mandarine, f.

tap n. robinet, m.

tarragon n. estragon, m.

tart n. tarte, f.; flan, m.

tartlet n. tartelette, f.

taste n. goût, m., saveur, f.; (small

quantity): (food) petit peu, m., (drink) petite gorgée, f.

to taste v.tr. goûter; déguster.
to taste of v.tr. sentir.

tasting n. dégustation, f.

tea n. thé, m.
afternoon tea n. five-o'clock, m.

tea-cloth n. napperon, m., nappe (f.) à thé; (for wiping-up) torchon, m.

tea-cup n. tasse (f.) à thé.

teal n. sarcelle, f.

tea-party n. thé, m.

tea-pot n. théière, f.

tea-spoon n. cuiller (f.) à thé, cuillère (f.) à thé.

tea-strainer n. passe-thé, m.

telephone n. téléphone, m.
to telephone v.i. téléphoner; donner un coup de fil.

telephone-call n. coup (m.) de fil.

to tell v.tr. dire.

temperature n. température, f.
to bring (wine) to room temperature v.tr. chambrer.

temporary adj. temporaire.

tench n. tanche, f.

tepid adj. tiède.

to thank v.tr. remercier.
Thank you. Je vous remercie.

theft n. vol, m.
petty thefts petits vols, m.pl., larcins, m.pl.

thick adj. épais.

thickness n. épaisseur, f.

third adj. troisième.
n. tiers, m.

thirst n. soif, f.

thread n. fil, m.

to throw v.tr. jeter.

thrush n. grive, f.

Thursday n. jeudi, m.

thyme n. thym, m.

ticket n. billet, m.

tidy adj. ordonné, rangé.

to tidy (up) v.tr. ordonner, ranger.

tiling n. carrelage, m.

time n. temps, m.; heure, f.; fois, f.

tin n. boîte (f.) en fer blanc, boîte.

tin-opener n. ouvre-boîtes, m.

tip n. (asparagus) pointe, f.; (gratuity) pourboire, m.

toast m. toast, m., pain (m.) grillé; toast, discours (m.) d'après-dîner.

toast-master n. annonceur (m.) des toasts.

toast-rack n. porte-rôties, m.

tobacco n. tabac, m.

to-day adv. aujourd'hui.
together adv. ensemble.
toilet n. toilette, f.; cabinet (m.) de toilette, lavabo, m.; water-closet, m.
Tokay n. tokai, m., tokay, m.
tomato n. tomate, f.
tongs n. pince, f. (see *under* **pince**).
tongue n. langue, f.
total n. total, m., montant, m.
tourist n. touriste, m. or f.
trade n. commerce, m.; clientèle, f.
to translate v.tr. traduire.
tray n. plateau, m.
tray-cloth n. napperon, m.
trolley n. voiture, f.; voiturette, f.
trotter n. pied.
  pig's trotter pied de cochon.
trousers n. pantalon, m.
  a pair of trousers un pantalon.
trout n. truite, f.
  salmon trout truite saumonée.
truffle, n. truffe, f.
to try v.tr. & i. essayer.
Tuesday n. mardi, m.
tumbler n. verre (m.) gobelet, m.
tunny(-fish) n. thon, m.
turbot n. turbot, m.
  young turbot turbotin, m.
turkey n. (cock) dindon, m.; (hen) dinde, f.; (on menu, frequently) dindonneau, m.
  young turkey dindonneau, m.
turn n. tour, m.
  in turn à tour de rôle.
to turn v.tr. & i. tourner.
turnip n. navet, m.
turtle n. tortue (f.) de mer; (on menu) tortue.
  mock turtle fausse tortue.
twice adv. deux fois.
type n. type, m.
to uncork v.tr. déboucher.
to uncover v.tr. découvrir.
underdone adj. saignant; pas assez cuit.
to understand v.tr. comprendre.
to undo v.tr. défaire; déficeler.
unfortunate adj. malheureux.
unfortunately adv. malheureusement.
uniform n. uniforme, m., tenue, f.
  kitchen uniform tenue de cuisine.
to upset v.tr. (wine) répandre.
to use v.tr. utiliser; se servir de.
useful adj. utile.
usefulness n. utilité, f.
useless adj. inutile.

usual adj. habituel.
usually adv. d'habitude.
vacant adj. libre, inoccupé.
valid adj. valable.
valuable adj. de valeur.
value n. valeur, f.
vanilla n. vanille, f.
varied adj. varié.
various adj. divers; variés.
vase n. vase, f.
  flower vase vase à fleurs.
veal n. veau, m.
vegetable n. légume, m.
  root vegetable racine, f.
vegetable-dish n. légumier, m.
venison n. venaison, f.
vinegar n. vinaigre, m.
visit n. visite, f.
to visit v.tr. visiter.
vodka n. vodka, f.
voucher n. bon, m.
wage(s) n. salaire, m., gages, m.pl.
wage-earner n. salarié, m., salariée, f.
wage-earning adj. salarié.
to wait v.tr. & i. attendre; servir, faire le service.
to wait for v.tr. attendre.
waiter n. commis, m.; garçon de café.
  head waiter maître d'hôtel.
waitress n. serveuse, f.
wall n. mur, m.
wall-clock n. pendule (f.) murale.
warm adj. tiède.
to wash v.tr. laver.
  to wash (oneself) se laver.
  to wash one's hands se laver les mains.
wash-basin n. lavabo, m.; cuvette, f.
washing-up n. vaisselle, f.
wash-room n. lavabo, m.
to waste v.tr. gaspiller; perdre.
  to waste time perdre du temps.
watch n. montre, f.
to watch v.tr. observer.
water n. eau, f.
water-cress n. cresson (m.) de fontaine.
water-melon n. melon (m.) d'eau.
to wear v.tr. (clothes) porter.
  to wear out v.tr. user.
weather n. temps, m.
  fine weather beau temps.
Wednesday n. mercredi, m.
week n. semaine, f.
  next week la semaine prochaine.

weekly adj. hebdomadaire.
  n. (newspaper) hebdomadaire, m.
welcome n. accueil, m.
to welcome v.tr. accueillir.
well adv. bien.
well-done adj. (steak) bien cuit.
when adv. quand.
  conj. quand; lorsque.
where adv. où.
whetstone n. pierre (f.) à aiguiser.
to whip v.tr. (eggs) battre; (cream) fouetter.
to whisk v.tr. (eggs) battre; (cream) fouetter.
whisky n. whisky, m.
white adj. blanc.
  n. blanc, m.
  white of egg blanc d'œuf.
whitecurrant n. groseille (f.) blanche.
whiting n. merlan, m.
whole adj. entier.
  n. tout, m.
wide adj. large.
width n. largeur, f.
window n. fenêtre, f.
wine n. vin, m. (see *under* **vin**).
wine-basket n. panier (m.) verseur.

wine-bin n. casier (m.) à bouteilles, casier.
wine-bottle n. bouteille (f.) à vin.
wine-butler n. sommelier, m.
wine-glass n. verre (m.) à vin.
wine-waiter n. commis (m.) de vins.
wing n. aile, f.
winglet n. aileron, m.
winter n. hiver, m.
to wipe v.tr. essuyer.
  to wipe dry v.tr. essuyer.
with prep. avec.
without prep. sans.
wood n. bois, m.
woodcock n. bécasse, f.
word n. mot, m.; (pledge) parole, f.
work n. travail, m.
to work v.tr. & i. travailler.
wrist-watch n. montre (f.) de poignet.
to write v.tr. écrire.
year n. an. m., année, f.; millésime, m.
yellow adj. jaune.
yesterday adv. hier.
yolk n. jaune, m.
young adj. jeune.